Macbeth

Macbeth

William Shakespeare

Tradução e introdução
Barbara Heliodora

Projeto gráfico de capa e miolo: Celina Faria e Leandro B. Liporage
Diagramação: Filigrana

Equipe editorial: Shahira Mahmud, Adriana Torres, Claudia Ajuz

Preparação de originais: Gustavo Penha, José Grillo, Bete Muniz

CIP-Brasil. Catalogação na fonte
Sindicato Nacional dos Editores de Livros, RJ

S539m

Shakespeare, William, 1564-1616
Macbeth / William Shakespeare ; tradução Barbara Heliodora. - [Ed. especial]. - Rio de Janeiro : Nova Fronteira, 2012.

Tradução de: Macbeth
ISBN 978.85.209.3180-6

1. Teatro inglês (Literatura). I. Heliodora, Barbara. II. Título. III. Série.

CDD: 822
CDU: 821.111-2

Introdução

Penúltima das chamadas "quatro grandes" tragédias, *Macbeth* tem como único texto substantivo o Primeiro Folio de 1623. De todas as tragédias é a mais curta, com apenas 2.107 linhas, pouco mais da metade das 3.924 de *Hamlet*. O texto foi provavelmemente copiado de um *prompt-book*, livro de contrarregra já todo preparado como roteiro do espetáculo, segundo ensaios. A modesta dimensão de *Macbeth* levou a incontáveis teorias a respeito do fato, havendo toda uma escola que acredita que faltam uma ou duas cenas, embora a opinião mais geralmente aceita seja a de que a peça foi terminada um pouco às pressas. A razão da suposta pressa seria a necessidade de uma encenação na corte de Jaime I. Na verdade, no último ato aparecem alguns versos até simplórios, se comparados ao resto da peça e a outras obras da mesma época, enquanto a própria ação é levada um pouco precipitadamente para a conclusão. A par disso, uma série de questões têm sido levantadas em torno da interferência de Thomas Middleton no texto recebido. A cena de Hécate e suas repreensões às bruxas são óbvia interpolação, e as canções indicadas na mesma cena ("Come away, come away" e "Black Spirits") aparecem na peça de Middleton *The Witch* (*A bruxa*), em raríssimo original manuscrito, guardado na Biblioteca Bodleian da Universidade de Oxford. Isso levou vários estudiosos a admitir que Middleton tivesse sido chamado a colaborar com Shakespeare e fosse o responsável pelo quinto ato e seus problemas.

Não há qualquer informação clara que dê a data da peça como sendo 1606, mas não faltam indícios nesse sentido: a ocasião que teria obrigado Shakespeare a concluir rapidamente a obra seria, por exemplo, a das festas realizadas na corte, exatamente em 1606, por ocasião da visita do rei Cristiano IV da Dinamarca. Outra possibilidade seria a de que a peça tivesse sido apresentada alguns meses antes no Globe, mas tivesse recebido cortes para a montagem na corte. A referência ao fazendeiro "que se enforcou pela expectativa da fartura" (que abaixaria o preço de seus produtos), era quase um ditado, porém os preços do trigo alcançaram níveis excepcionalmente baixos em 1606.

Na cena do Porteiro, as muitas referências a *equivocator* e *equivocation* são inevitavelmente ligadas ao jesuíta padre Garnet, por ocasião de seu julgamento por participação no notório *Gunpowder Plot* (Complô da Pólvora), quando a intenção fora explodir o Parlamento em dia de visita do rei. No julgamento, Garnet alegou que mentira ante seus acusadores, graças ao uso da "teoria do equívoco", que justificava a dissimulação em determinadas circunstâncias. Garnet, além do mais, usara o nome falso de Farmer (fazendeiro), e durante todo o ano de 1606 o julgamento foi assunto muito em evidência.

O rei Jaime I era escocês e, o que é muito significativo, se tinha em conta de competente demonólogo, o que torna *Macbeth* uma peça particularmente apropriada para o grupo que agora era chamado de "Os Homens do rei" (e não mais do lorde Camerlengo, como fora durante quase uma década). Shakespeare, que no momento continuava profundamente envolvido com suas investigações sobre a natureza do mal, e sobre os vários modos pelos quais o homem lida com a presença deste em sua existência, usou do recurso que tantas vezes empregara nas peças históricas: consultou as crônicas históricas inglesas — e neste caso específico, as escocesas — para encontrar o rei ou o reino por meio do qual lhe seria possível dizer o que queria e, a partir dessa base, manipulou os fatos segundo suas necessidades, já que o que escrevia não era história, e sim teatro.

Para elaborar sua investigação sobre a natureza do mal quando este se manifesta no próprio protagonista, Shakespeare usou principalmente duas fontes: suas habituais *Crônicas da Inglaterra, Escócia e Irlanda*, de Raphael Holinshed e, para vários detalhes, a *História e as crônicas da Escócia*, de John Bellenden (resultado da mescla de três outras obras). Para a linha geral da peça, Shakespeare segue o que Holinshed diz a respeito do reinado de Macbeth, mas para o episódio da morte de Duncan ele aproveitou o relato do assassinato de um rei mais antigo, Duff, por Donwald. Este último, segundo Holinshed, foi, como Macbeth, encorajado por uma mulher ambiciosa. Interessante é o fato de Shakespeare ter encontrado a inspiração para suas três bruxas e suas profecias a respeito do futuro de Macbeth em um desfile cívico apresentado em Oxford, em agosto de 1605. Três jovens, "vestidos como ninfas ou sibilas" lembrando-se de que outrora haviam profetizado que a linhagem de Banquo é que viria a reinar, saudaram James com as palavras:

Salve, tu que governas a Escócia!
Salve, tu que governas a Inglaterra!
Salve, tu que governas a Irlanda!

Em algumas outras fontes, Shakespeare foi buscar o grande talento e a grande ambição de Macbeth, a história da floresta de Birnam avançando para Dunsinane, a autoconfiança de Macbeth que o faz acreditar na melhor interpretação possível no que lhe dizem as bruxas etc.

Apesar do uso de tantas fontes — ou exatamente por serem tantas —, o resultado é uma criação exclusiva do poeta. *Macbeth* não é de modo algum a mera história de um criminoso; Shakespeare não está escrevendo um policial. Não se trata aqui de apanhar e punir um culpado, mas sim de se acompanhar a terrível trajetória de um homem cheio de qualidades, bom súdito e melhor general, que a certa altura é dominado pela ambição. É exatamente porque a Shakespeare o que interessa é o processo por que Macbeth passa até poder reavaliar seus atos com maior sabedoria, que seu ponto de crise, sua ação crítica — seu primeiro assassinato — chega bem cedo, na primeira cena do Ato II.

Até a morte de Duncan, é claro, testemunhamos toda luta interior que antecede o ato; Macbeth não só já participou de várias batalhas sangrentas, sabendo portanto o que é uma morte sangrenta, como sua imaginação trabalha contra a execução do ato que o levaria ao trono. Sua mulher, Lady Macbeth, no entanto, jamais testemunhou uma morte violenta ou viu um corpo estraçalhado, faltando-lhe a capacidade para imaginar o que seria o crime — que para ela não passa de uma palavra. Apesar do muito que se escreve a respeito, é preciso não esquecer que o papel de Lady Macbeth é pequeno: no início da peça a presença dela é necessária justamente para ser possível ao poeta retratar o conflito desse protagonista que traz o mal em si mesmo. Querer atribuir a Lady Macbeth peso decisivo na posição de Macbeth é ignorar pelo menos três dados fundamentais fornecidos por Shakespeare na composição da obra: em primeiro lugar, a tragédia leva o título exclusivo de *Macbeth*; em segundo, não há herói trágico shakespeariano que não seja integral e exclusivamente responsável por seus atos; e terceiro, antes da carta, antes que sua mulher apareça pela primeira vez, tanto o vaticínio das irmãs bruxas quanto a notícia de que o rei o fez *thane* de Cawdor, abalam Macbeth porque a ideia do assassinato já vivia em seu pensamento.

As *weird sisters*, estranhas irmãs, precisam também ser examinadas: assim como Lady Macbeth, elas servem de apoio para Macbeth optar pelo crime, mas todo o público da época, e muito particularmente Jaime I, que se considerava especialista no assunto, tinham conhecimento dos vários tipos de bruxas e aparições aceitos como parte integrante do universo cotidiano da experiência humana, sabendo portanto que as dessa categoria tinham poderes para prever o futuro, mas não para determiná-lo. As bruxas, aliás, em momento algum sugerem que Macbeth mate o rei, ou sequer que isso fosse necessário para que Macbeth chegasse a usar a coroa.

A partir do assassinato de Duncan é que *Macbeth* envereda pelo caminho que a distingue de todas as outras tragédias, ou seja, as consequências do crime para a experiência de vida do criminoso. A partir desse momento é cada vez maior a separação do casal antes tão unido — e que tivera a ilusão de que conquistando a coroa, mesmo ao preço de um assassinato, estaria alcançando a felicidade suprema para ambos. Os caminhos de marido e mulher separam-se e é o dele que Shakespeare toma como tema maior: nada que Macbeth pudesse ter imaginado, como preço da culpa, se aproxima do seu tormento; mas antes de atingir seu momento de reflexão, em que admite para si mesmo a insensatez de seus atos, antes de admitir integralmente o erro de sua opção pelo crime, Macbeth dá a impressão de buscar um suicídio moral, matando de novo e de novo, em uma espécie de esperança de que o hábito anestesie a consciência. Para Lady Macbeth que, perdendo a função de *alter ego* do marido, desaparece de cena, Shakespeare reserva um fim irônico, pois aquela mulher supostamente corajosa, que afirmava não ver problemas em matar Duncan, enlouquece só por tê-lo visto morto, e se suicida em sua loucura.

Nenhuma outra obra de Shakespeare tem seu universo tão ligado à criação de um clima emocional específico, pois nesta extraordinária investigação sobre a natureza do mal, uma riqueza de imagens sem paralelo sequer na própria obra do poeta expressa as inexoráveis transformações do mundo de todo o grupo social afetado. Quando o crime leva ao poder, e o poder é exercido por meio do crime, as consequências abalam a comunidade cujo bem-estar é o único objetivo legítimo do governo; quando a visão do artista criador é essa, sua apaixonada preocupação com os governados tem de encontrar expressão voltada em sua essência para esses. É exatamente o que acontece em *Macbeth*, onde a riqueza, a variedade e a dimensão imaginativa das imagens encontram sua fonte sempre na experiência do cotidiano, mesmo em momentos de suprema poeticidade.

De todas as imagens privativas da obra, a mais famosa e precisa será a que por várias vezes Macbeth usa em relação a si mesmo (e finalmente outro usa a respeito dele), a das roupas que não servem por serem grandes demais — imagem irretocável para um homem que quer ocupar o trono que não é seu. Em toda a sua obra podemos dizer que Shakespeare identifica a luz com a virtude e a vida, e a escuridão com o mal e a morte, ideia aliás difundida na obra de diversos autores; mas em *Macbeth* a ideia é levada adiante, e a escuridão aparece como condição indispensável para a maldade e o crime: a peça vai ficando progressivamente mais escura — e vale a pena lembrar que em apenas duas cenas a claridade se afirma: a da chegada do bom rei Duncan ao castelo de Macbeth, e, no final, após a morte do rei usurpador — chamado nada menos de 17 vezes de "tirano".

Na escuridão dos crimes há sangue, e quando Macbeth e Lady Macbeth agem ou pensam em relação aos crimes, eles se decompõem: os olhos enganam os outros sentidos, eles veem a morte como imagem do sono (e vice-versa), eles recebem informações que são encaradas como distantes do eu do agente, um rosto falso oculta um coração falso, as mãos parecem agir quase que independentemente, são elas que ficam sujas de sangue, guardam o cheiro do assassinato, ou transformam em rubro o verde mar. A escuridão tem importância nessa decomposição, impedindo os olhos de ver o que a mão faz, por exemplo.

Embora a ação de *Macbeth* seja totalmente secular, os crimes de Macbeth levam à perda de sua alma, e a identificação do mal com a danação aparece não só em si mesma, como fica ressaltada pelas referências à imposição das mãos pelo rei inglês, Eduardo, o Confessor, cujos dons de cura ficam assim contrastados com as muitas imagens de doença que servem para evocar o que acontece à Escócia sob Macbeth. Estas causam grande impacto, sobretudo por ficarem concentradas justamente na parte final da peça, pouco antes da queda de Macbeth, e quando ele mesmo reflete sobre as consequências de sua opção pelo mal.

Macbeth, privilegiado como potencial humano e no quadro social em que aparece, é talvez a expressão máxima do engajamento de Shakespeare com o tema que o interessava no momento: sua investigação quanto à natureza do mal faz com que ele crie não um herói mas um protagonista, em quem não aparecem a generosidade e a grandeza humana de um Hamlet, de um Otelo ou de um Lear. O que Shakespeare investiga em *Macbeth* é justamente o que acontece a um indivíduo altamente dotado quando um de seus atributos, a ambição, que até então fizera dele um guerreiro bravo que servia bem à pátria e ao rei, passa a ser a dominante e destrói toda a escala de valores do bom cidadão, permitindo que seu potencial passe a servir aos interesses do mal. A par das terríveis consequências para o Estado, testemunhamos a destruição do próprio Macbeth como ser humano, e seu doloroso aprendizado, desde o momento em que, estimulado ainda mais pelas bruxas, sonha com a glória e a felicidade no poder, como fica dito na carta que manda à mulher:

...referindo-se a um tempo inda por vir com "Salve,
quem vai ser rei!" Tudo
isto julguei por bem comunicar a ti, minha adorada
parceira de grandeza, para que não percas os dividendos do
regozijo, ficando na ignorância da grandeza
que te é prometida

até o desencanto final, a constatação de que o caminho percorrido não trouxe a felicidade mas sim uma perda total:

Quase esqueci que gosto tem o medo.
....
.... estou farto de horrores:
O pavor, íntimo do meu pensar,
Já nem me assusta.............
....
A vida é só uma sombra: um mau ator
Que grita e se debate pelo palco,
Depois é esquecido; é uma história
Que conta o idiota, toda som e fúria,

Sem querer dizer nada.

Talvez seja por isso mesmo que em *Macbeth* tenhamos tão forte a sensação de desperdício, embora a violência do mal também nos faça refletir com alento sobre todos aqueles que o enfrentam e conseguem superar sua força destruidora.

Barbara Heliodora

Nota sobre a 2ª edição

O texto foi todo revisto, corrigidos vários erros e omissões que encontramos na 1ª edição, mas também, em alguns poucos casos, foi impossível à tradutora resistir à tentação de substituir palavras, ou até mesmo versos inteiros, por expressões que, na releitura, lhe ocorreram como sendo mais fiéis, ou mais adequadas, ou simplesmente mais atraentes ao ouvido.

Barbara Heliodora

Dramatis personae

DUNCAN, Rei da Escócia.

DONALBAIN MALCOLM	Seus filhos.
MACBETH BANQUO	Generais do exército do rei.
MACDUFF LENOX ROSSE MENTEITH ANGUS CATHNESS	Nobres da Escócia.

FLEANCE, Filho de Banquo.

SIWARD, Conde de Northumberland, general das forças inglesas.

JOVEM SIWARD, Seu filho.

SEYTON, Oficial a serviço de Macbeth.

MENINO, Filho de Macduff.

UM MÉDICO INGLÊS

UM MÉDICO ESCOCÊS

UM SOLDADO

UM PORTEIRO

UM VELHO

Lady Macbeth

Lady Macduff

Dama, A serviço de Lady Macbeth.

Hécate

Três Bruxas

Lordes, Cavalheiros, Oficiais, Soldados, Assassinos, Criados e Mensageiros.

O Fantasma de Banquo e outras Aparições.

A ação no final do Quarto Ato se passa na Inglaterra; todo o resto da peça se passa na Escócia.

Ato I
Cena I

Uma planície aberta.

(*Trovões e relâmpagos. Entram as Três Bruxas.*)

1ª BRUXA
Quando iremos nos juntar?
Com a chuva a trovoar?

2ª BRUXA
Só com a bulha arrefecida,
Ganhar a lata perdida.

3ª BRUXA
Antes da noite caída.

1ª BRUXA
Onde?

2ª BRUXA
A charneca é o lugar

3ª BRUXA
Para Macbeth encontrar.

1ª BRUXA
Já vou, bichano!

2ª BRUXA
O sapo chama.

3ª BRUXA
Eu já vou!

TODAS
Bom é mau e mau é bom;
Voa no ar sujo e marrom.

Cena II

Um acampamento.

(*Fanfarra fora. Entram o rei Duncan, Malcolm, Donalbain, Lenox, com séquito. Encontram um capitão ensanguentado.*)

DUNCAN

Que homem é esse, todo ensanguentado?
Pelo estado, ele pode dar notícias
Dessa revolta.

MALCOLM

Sim, esse é o sargento
Que lutou, bom soldado, bravo e forte,
Contra a minha captura. Salve, amigo!
Conte ao rei o que sabe do conflito
Quando o deixou.

CAPITÃO

O quadro estava dúbio;
Eram dois náufragos que, se agarrando,
Sufocavam o nado um do outro.
O implacável Macdonwald (a quem calha
O nome de rebelde, pois pululam
Nele os vícios que há na natureza)
Trouxe tropas da Irlanda. E a fortuna
Sorriu-lhe, qual rameira de rebelde:
Mas por pouco. Pois Macbeth (que honra o [nome)
Ignorando a fortuna, brande a espada
Que, fumegando de justiça e sangue,
Qual favorito do valor trinchou
O seu caminho até achar o biltre,
Que, sem saudar e sem dizer adeus,
Descoseu do umbigo até a goela,
E fincou-lhe a cabeça nas ameias.

DUNCAN

Meu bravo primo! Nobre valoroso!

CAPITÃO

Como o brilho do Sol, também do leste
Vêm trágicas tormentas e naufrágios;
E de lá, ao invés de vir conforto,
Nasce o horror. Escute, rei da Escócia,
Mal a justiça, armada com bravura,
Obriga os irlandeses a fugirem,
O norueguês, entrevendo vantagem,
Co'armas novas e tropas descansadas,
Fez novo ataque.

DUNCAN

E não intimidou
Os nossos capitães, Macbeth e Banquo?

CAPITÃO

Como o pardal à águia, ou a lebre ao leão.
Pra falar a verdade, pareciam
Dois pesados canhões de tipo duplo
Que redobravam golpes no inimigo:
Se era um banho de sangue que buscavam,
Ou se era celebrar um novo Gólgota,
Não sei.
Socorro pr'estes talhos. Estou fraco.

DUNCAN

Louvo tanto as feridas quanto a tala:
Sabem a honra. Carregai-o aos inéditos.

(*Sai o capitão, amparado. Entram Rosse e Angus.*)

MALCOLM

Quem vem lá?
O grande *Thane* de Rosse.
Que pressa tem nos olhos! São assim
Os que falam do estranho.

ROSSE

Salve o rei!

DUNCAN

De onde vem, nobre Rosse?

ROSSE

Meu rei, de Fife;
Onde a Noruega desafia o céu
Com flâmulas que esfriam nossa gente.
Seu próprio rei, com tropa aterradora,
E ajudado pelo infiel traidor,
O Thane de Cawdor, faz ataque horrível,
Até que o noivo de Belona, armado,
Enfrentou-o e mostrou-se seu igual;
Ponta contra ponta, braço a feroz braço,
Domou-lhe ele a coragem; e, afinal,
A vitória foi nossa.

DUNCAN

Que alegria!

ROSSE

Pois agora
Sweno da Noruega pede arreglo;
Mas negamos enterro à sua tropa
Enquanto não pagasse, em Colme's Inch,
Os dez mil dólares para nosso uso.

DUNCAN

Pois Cawdor nunca mais abusará
De nosso afeto. Ordene a sua morte,
E saúde Macbeth com esse título.

ROSSE

Farei o que ordenou.

DUNCAN

O que ele perde, Macbeth já ganhou.

(*Saem.*)

Cena III

Uma charneca.

(*Trovão. Entram as Três Bruxas.*)

1ª Bruxa

Por onde andou, irmã?

2ª Bruxa

Matando porcos.

3ª Bruxa

Irmã, e você?

1ª Bruxa

A mulher de um marujo bem no colo
Tinha castanhas que ela ruminava;
Falei "Me dá!" e ela disse "Sai, bruxa!"
Seu marido, do Tigre, está em Alepo:
Pra lá eu navego só,
E como um rato cotó
Eu faço, eu faço, e eu faço.

2ª Bruxa

Eu lhe dou um vento.

1ª Bruxa

Que bondade.

3ª Bruxa

E eu mais outro.

1ª Bruxa

E os outros todos são meus.
Todos os portos batidos,
E quadrantes conhecidos,
Em toda a rosa dos ventos.
Como palha eu vou secar:
Nunca o sono há de pesar
Pra fazê-lo adormecer;
Maldito ele há de viver.
Sete noites vezes nove,
Ele míngua e não se move,

E mesmo sem afundar,
No vento ele vai dançar.
Vejam só o que tenho.

2ª Bruxa

Mostre, mostre.

1ª Bruxa

De um piloto o polegar,
Que naufragou ao voltar.
O tambor 'stá a rufar,
É Macbeth que vai chegar.

Todas

As três irmãs, de mãos dadas,
Por terra e mar viajadas,
Assim vão girar, girando:
Três pra você, três pra mim,
O encanto está começando!

(*Entram Macbeth e Banquo.*)

Macbeth

Dia tão lindo e feio eu nunca vi.

Banquo

Falta muito pra Forres? — Quem são essas,
Tão secas e tão loucas no vestir,
Que não parecem habitar a terra
Mas 'stão aqui. 'Stão vivas? São capazes
De responder? Parecem compreender.
Pelo gesto que fazem com os dedinhos
Nos lábios secos. Parecem mulheres,
Mas as barbas proíbem que eu afirme
Que o são.

Macbeth

Se falam, digam-nos quem são.

1ª Bruxa

Salve, Macbeth; oh salve, *Thane* de Glamis!

2ª Bruxa

Salve, Macbeth; oh salve, *Thane* de Cawdor!

3ª Bruxa

Salve, Macbeth; que um dia há de ser rei!

Banquo

Senhor, por que se assusta e por que teme
Coisas de som tão belo? — Na verdade,
São fantasia ou são vocês de fato
O que aparentam? Meu nobre parceiro
Saúdam no presente com honrarias
E, no porvir, com esperanças reais
Que o estonteiam — mas a mim não falam.
Se podem ler as sementes do tempo,
Saber o grão que cresce e o que não vinga,
Falem a mim, que não peço e nem temo
Seu favor ou seu ódio.

1ª Bruxa

Salve!

2ª Bruxa

Salve!

3ª Bruxa

Salve!

1ª Bruxa

Menor, porém maior, do que Macbeth!

2ª Bruxa

Menos feliz, no entanto mais feliz!

3ª Bruxa

Não será rei, mas será pai de reis!

Macbeth

Um momento; foi pouco, falem mais!
Sei que a morte de Sinel me fez Glamis;
Mas como Cawdor? Cawdor está vivo,
E é nobre e próspero. Quanto a ser rei,
Fica além do horizonte do admissível —
Assim como ser Cawdor. Digam de onde
Vêm novas tão estranhas, ou por que
Nos param neste charco desgraçado
Com saudações proféticas! Me digam!

(*As Bruxas desaparecem.*)

BANQUO

A terra, como a água, tem borbulhas;
E essas vêm de lá. Para onde foram?

MACBETH

Assim no ar, essas formas corpóreas
Derreteram com o vento. Se ficassem...

BANQUO

Mas, falamos de algo que aqui esteve,
Ou comemos raízes que enlouquecem
Fazendo o cérebro seu prisioneiro?

MACBETH

Seus filhos serão reis.

BANQUO

O senhor, rei!

MACBETH

E também Cawdor. Não foi essa a história?

BANQUO

Em letra e música. Mas, quem vem lá?

(*Entram Rosse e Angus.*)

ROSSE

Macbeth, com gáudio o rei foi informado
Do seu sucesso; e após ter lido
Seus feitos pessoais neste levante,
Seu espanto e louvores ora lutam
Pra saber o que é seu e o que é dele.
Revendo o panorama deste dia,
Ele o vê, entre as hostes norueguesas,
Que enfrenta sem temor, enquanto cria
Estranhas visões de morte. Qual granizo,
Vêm os correios, um a um trazendo
Loas à sua luta pelo reino,
Que ante ele derramam.

ANGUS

O rei mandou
Apresentar-lhe a gratidão real,
Pedindo que o chamasse *Thane* de Cawdor.
Com esse título o saúdo, *Thane,*
Pois ele é seu.

BANQUO

O demo diz verdades?

MACBETH

Mas Cawdor vive. Por que hão de vestir-me
Com roupas emprestadas?

ANGUS

Cawdor vive,
Mas sob acusações; vive inda a vida
Que merece perder. Se tendo aliado
À Noruega, ou à linha rebelde
Com ajuda escondida, ou se com ambos
Lutou pela ruína do país
Não sei; mas as traições que confessou
o destruíram.

MACBETH

Glamis, e *Thane* de Cawdor!
O melhor 'stá por vir. (*a Angus e Rosse.*)
Muito obrigado.

(*a Banquo*)

Não pensa, então, em ver seus filhos reis,
já que os que me disseram *Thane* de Cawdor
Não lhe previram menos?

BANQUO

E o crer nisso
Inda pode levá-lo até a coroa,
Além de já ser Cawdor. É estranho:
Muita vez, pra levar-nos para o mal,
As armas do negror dizem verdades;
Ganham-nos com tolices, pra trair-nos

Em questões mais profundas.
Primos, uma palavra

MACBETH (*à parte*)

Duas verdades
São prelúdio feliz da grande pompa
Do tema imperial. (*alto*) Eu lhes sou grato.
(*à parte*) A tentação do sobrenatural
Não pode nem ser má e nem ser boa:
Se má, por que indica o meu sucesso,
De início, com a verdade? Já sou Cawdor;
Se boa, por que cedo à sugestão
Cuja horrível imagem me arrepia
E bate o coração contra as costelas,
Negando a natureza? Estes meus medos
São menos que o terror que eu imagino;
Meu pensamento, cujo assassinato
Inda é fantástico, tal modo abala
A minha própria condição de homem,
Que a razão se sufoca em fantasia,
E nada existe, exceto o inexistente.

BANQUO

Como ficou perplexo o nosso amigo!

MACBETH (*à parte*)

Se o fado me quer rei, que me coroe
Sem que eu me mova.

BANQUO

Essas honras lhe caem
Como trajes estranhos que só servem
Cotas muito uso.

MACBETH (*à parte*)

Estou por tudo agora;
Até mau dia tem seu tempo e hora.

BANQUO

Bravo Macbeth, 'stamos ao seu dispor.

MACBETH

Perdão; a minha mente se ocupava
Com coisas esquecidas. Cavalheiros,

A sua cortesia está nas páginas
Que doravante eu lerei todo dia.
Vamos ao rei. (*a Banquo*) Pondere o
[acontecido;
Depois de o tempo operar, falaremos
De coração aberto.

BANQUO

Com prazer.

MACBETH

Até então já basta. — Amigos, vamos.

(*Saem.*)

Cena IV

Forres. Uma sala no palácio.

(*Fanfarra. Entram Duncan, Malcolm, Donalbain, Lenox e séquito.*)

DUNCAN

Cawdor já foi executado? Ou inda
Não voltou a comissão?

MALCOLM

Meu senhor,
Ainda não voltou; porém falei
A alguém que o viu morrer, e informou
Que admitiu com franqueza sua traição,
Pediu o seu perdão, e demonstrou
'Star muito arrependido. Em sua vida
Nada lhe foi tão bem quanto o deixá-la.
Morreu como se a vida fosse ensaio
Pra morrer, descartando o bem da vida
Como se fora lixo.

DUNCAN

Não há arte
Que veja a mente só por ver o rosto:
Foi um homem em quem depositei
Confiança total.

(*Entram Macbeth, Banquo, Rosse e Angus.*)

Meu bravo primo!
O pecado de minha ingratidão
Me pesava. Mas andas tão na frente
Que a veloz gratidão tem voo lento
Para alcançar-te: merecesses menos,
E minha cota de agradecimento
Seria a dominante! Só me resta
Dizer que devo mais que qualquer paga.

MACBETH

O que devo, em serviço e lealdade,
Paga-se apenas por seu cumprimento.
Nosso dever pertence a Vossa Alteza,
Sendo devido a vós, ao Estado, e aos vossos;
Não passa de dever fazermos tudo
Pra guardar vosso amor e vossa honra.

DUNCAN

Bem-vindo!
Comecei a plantar-te e hei de fazer-te
Crescer ao máximo. Meu nobre Banquo,
Não mereceste menos, nem se deve
Proclamar-te menor; quero abraçar-te
Junto ao meu coração.

BANQUO

Se aí crescer,
A safra é vossa.

DUNCAN

Tais farturas minhas
Nesses excessos buscam disfarçar-se
Em gotas de tristeza. Filhos, nobres,

E aqueles que mais perto estão de nós,
Sabei que nossa herança ora outorgamos
A nosso filho Malcolm, doravante
A ser chamado Príncipe de Cumberland.
Honras assim não devem vir sozinhas;
E sinais de nobreza, conto astros,
Hão de brilhar em todos que a merecem.
Para Inverness! E, lá, vos ligaremos
Ainda mais a nós.

MACBETH

Resta labuta, que não é pra vós;
Serei eu mesmo o arauto que, contente,
Dirá a minha esposa que estais vindo.

DUNCAN

Caro Cawdor!

MACBETH (*à parte*)

O filho príncipe! Esse é um tropeço
Que me derruba se eu não superar;
Pois está em meu caminho. Apaga, estrela,
Pra luz não ver os meus desígnios negros.
Fique o olho cego à mão, porém insisto
Que o que ele teme, feito, seja visto.

DUNCAN

Verdade, meu bom Banquo. Ele é tão bravo
Que o alimento que me traz seu mérito
É o meu banquete. Sigamos agora
Quem se apressou pra nos fazer bem-vindos:
É uma parente sem par.

(*Saem.*)

Cena V

Inverness. Uma sala do castelo de Macbeth.

(*Entra Lady Macbeth, lendo uma carta.*)

Lady Macbeth

"Encontraram-me no dia do triunfo e soube, pelas mais seguras fontes, que têm conhecimento acima dos mortais. Quando queimava de desejo de interrogá-las mais um pouco, transformaram-se em ar, no qual desvaneceram. Enquanto fiquei transido de espanto, chegaram missivas do rei que me saudavam como '*Thane* de Cawdor', por cujo título essas estranhas irmãs me haviam antes chamado, referindo-se a um tempo inda por vir com 'Salve quem vai ser rei!' Tudo isso julguei por bem comunicar a ti, minha adorada parceira de grandeza, para que não percas os dividendos do regozijo, ficando na ignorância da grandeza que te é prometida. Guarda-o no coração, e que tudo vá bem."
Já és Glamis e Cawdor, e serás
O resto. — Mas temo-te a natureza:
Sobra-lhe o leite da bondade humana
Para tomar o atalho. Sonhas alto,
Não te falta ambição, porém privada
Do mal que há nela. Teus mais altos sonhos
Têm de ser puros; temes o ser falso,
Mas não o falso lucro. Tu precisas
Quem diga: "Glamis, faz se é o que queres;
Se é o que não fazes mais por medo
Do que por desejar não ser feito."
Vem, para que eu jorre brio em teus ouvidos,
E destrua com a bravura desta língua

O que te afasta do anel de ouro
Com que o destino e a força metafísica
Te querem coroar. (*Entra um Mensageiro.*)
Que novas traz?

MENSAGEIRO

O rei hoje vem cá.

LADY MACBETH

Isso é loucura!
Não está com ele o amo? Se assim fosse
Ele me avisaria, pra aprontar-me.

MENSAGEIRO

Por favor, é verdade: o *Thane* já vem;
Um companheiro veio mais depressa
E já quase sem fôlego, só o teve
Para dar o recado.

LADY MACBETH

Cuidem dele:
Traz grande nova! (*Sai o Mensageiro.*)
É rouco o próprio corvo
Que anuncia a fatídica chegada
Do rei à minha casa. Vinde, espíritos
Das ideias mortais; tirai-me o sexo:
Inundai-me, dos pés até a coroa,
De vil crueldade. Dai-me o sangue grosso
Que impede e corta o acesso do remorso;
Não me visitem culpas naturais
Para abalar meu sórdido propósito,
Ou me fazer pensar nas consequências;
Tomai, neste meu seio de mulher,
Meu leite em fel, espíritos mortíferos!
Vossa substância cega, onde andar,
Espreita e serve o mal. Veias, negra noite!
Apaga-te na bruma dos infernos,
Pra não ver minha faca o próprio golpe,
E nem o céu poder varar o escuro
Para gritar-me 'Para! Para!'

(Entra Macbeth.)

Meu grande Glamis! Meu valoroso Cawdor!
Que saudação maior inda há de ter!
Tua carta transportou-me para além
Deste pobre presente, e sinto agora
O porvir neste instante.

MACBETH

Meu amor,
Duncan chega hoje aqui.

LADY MACBETH

E quando parte?

MACBETH

Amanhã, por seus planos.

LADY MACBETH

Mas jamais
Verá o sol tal amanhã.
Teu rosto, *Thane, é* um livro aonde os [homens
Podem ler suspeições; para enganá-los,
Usa aspecto enganoso, e boas-vindas
Brilhem-te nos olhos, mãos e língua.
Sê a inocente flor que nutre a víbora.
Devemos preparar-nos pra quem chega;
E deixa em minhas mãos as providências
Dos negócios tratados nesta noite
Que a todo dia e noite por chegar
Um poder soberano hão de outorgar.

MACBETH

Falaremos depois.

LADY MACBETH

Mas pensa bem:
Só muda de pensar quem medo tem.
Deixa o resto comigo.

(Saem.)

Cena VI

O mesmo local.

(*Entram Duncan, Malcolm, Donalbain, Banquo, Lenox, Macduff, Rosse, Angus e séquito.*)

DUNCAN

O sítio do castelo é agradável;
O doce e leve ar se recomenda
Aos meus sentidos.

BANQUO

A ave do estio,
A andorinha do templo, prova assim,
No amado muro, que o alento dos céus
Exala aqui: não há quina nem beira,
Pilastra ou belvedere em que esta ave
Não penda um ninho pra procriação:
E onde se multiplicam, tenho visto,
O ar é delicado.

(*Entra Lady Macbeth.*)

DUNCAN

Nossa anfitriã!
O amor que nos é dado traz problemas
Que chamamos de amor. E isso ensina-lhes
Como Deus abençoa o seu trabalho
Feito por nós.

LADY MACBETH

Este nosso serviço,
Sendo dobrado e depois redobrado,
É muito pouco se for comparado
Com as vastas e profundas honrarias
Com que vós nos cobris. Pelas antigas,
Como as honras recentes recebidas,
Somos romeiros.

DUNCAN

Mas onde está Cawdor?
Viemos a galope, com intento
De ser seu intendente; mas, velozes,
As esporas do amor o ajudaram.
Somos seus hóspedes.

LADY MACBETH

Vossos servos,
Têm a vosso dispor a si e aos seus,
Para a vosso prazer prestar suas contas
Devolvendo o que é vosso.

DUNCAN

A sua mão;
Leve-me ao castelão. Nós o amamos,
E sempre há de ter ele nossas graças.
Com sua permissão, senhora.

(*Saem.*)

Cena VII

O mesmo local. Uma sala no castelo.

(*Oboés e tochas. Entram e cruzam o palco, um Provador e diversos criados com pratos e travessas. Depois, entra Macbeth.*)

MACBETH

Ficasse feito o feito, então seria
Melhor fazê-lo logo: se o matar
Trancasse as consequências e alcançasse,
Com seu cessar, sucesso; se este golpe
Pudesse ter um fiar de tudo aqui,
E só aqui, nesta margem do tempo,
Riscava-se o futuro. Mas tais casos
Têm julgamento aqui que nos ensina

Que os truques sanguinários que criamos
Punem seus inventores; e a justiça
Conduz o cálice que envenenamos
Aos nossos lábios. Ele está aqui!
Por dupla confiança, ao meu cuidado:
Primeiro, sou seu súdito e parente —
São ambos contra o ato. E, hospedeiro,
Devia interditar o assassino
E não tomar eu mesmo do punhal.
Duncan, além do mais, tem ostentado
Seu poder com humildade, e tem vivido
Tão puro no alto posto, que seus dotes
Soarão, qual trombeta angelical,
Contra o pecado que o destruirá;
E a piedade, nua e recém-nata,
Montada no clamor, ou os querubins
A cavalgar os correios dos céus,
A todo olhar dirão o feito horrível,
Fazendo a lágrima afogar o vento.
Para esporear meu alvo eu tenho apenas
Esta alta ambição cujo salto exagera,
E cai longe demais. (*Entra Lady Macbeth.*)
Então, que há?

LADY MACBETH
O rei ceiou. Por que deixaste a sala?

MACBETH
Ele chamou por mim?

LADY MACBETH
Então não sabes?

MACBETH
Não vou levar avante esse negócio.
Ele vem de me honrar; e eu conquistei
O ouro do respeito dessa gente;
Devo agora ostentá-lo no seu brilho,
Não descartá-lo assim.

LADY MACBETH
Estava bêbada

A ambição que vestias? E dormiu?
E acorda para olhar pálida e verde
Pro que, livre, pensara? Doravante
julgo assim o teu amor. Tens tanto medo
De seres, com teus atos e coragem,
Igual aos teus desejos? Queres ter
O que julgas da vida o ornamento,
Ou viver um covarde aos próprios olhos,
Deixando o "quero" curvar-se ao "não ouso",
Como o gato pescando?

MACBETH

Paz, eu peço.
Eu ouso tudo que convém a um homem;
Quem ousa mais não o é.

LADY MACBETH

Que fera, então
Levou-te a sugerir-me tal empresa?
Quando o ousaste é que foste um homem.
E para vir a ser mais do que foste
Devias ser mais homem. Nem local
Nem hora, no momento, nos serviam,
Porém tu te esforçaste por dobrá-los;
Pois agora por si são adequados,
E tu tremes. Eu já amamentei,
E sei o quanto é doce o sugar do neném;
Mas poderia, enquanto me sorria,
Roubar-lhe o seio da gengiva mole
E arrebentar-lhe o cérebro, se houvesse
Jurado que o faria.

MACBETH

E se falharmos?

LADY MACBETH

Falharmos? Com a coragem retesada
Não falharemos. Quando o rei dormir —
Ao que a dura viagem deste dia
Há de chamá-lo — seus dois camareiros
Hei de embalar com tanta e tal bebida

Que a guardiã do cérebro, a memória,
Fará, com seus vapores, da razão
Mero alambique. Chafurdando em sono,
Tão encharcados que pareçam mortos,
O que não poderemos perpetrar
um Duncan desguardado? Ou imputar
A tais esponjas, que arcarão com a culpa
De nosso crime?

MACBETH

Dá à luz só machos,
Pois tua têmpera indômita só deve
Gerar varões. Não hão de julgar todos,
Se cobrimos com sangue os camareiros,
Dormindo junto às armas que usaremos,
Que foram eles?

LADY MACBETH

Quem dirá que não,
Se com clamor gritamos nossa dor
Pela morte?

MACBETH

Estou pronto, e cada nervo
Será um tenso agente desse horror
Vamos; mostrando ar sereno e são,
O rosto esconde o falso coração.

(*Saem.*)

Ato II
Cena I

No mesmo lugar. Um pátio no castelo.

(*Entra Banquo, com Fleance, que carrega uma tocha.*)

BANQUO

A quanto vai a noite, menino?

FLEANCE

Pôs-se a lua. Não ouvi o relógio.

BANQUO

Ela se põe às doze.

FLEANCE

Então já passam.

BANQUO

Pega aqui a espada. O céu é econômico;
Apagou suas velas. Pega aqui.
Algo me chama que parece um chumbo,
No entanto não dormi. Forças do bem,
Cortai em mim o mal que a natureza
Libera no repouso. Dá-me a espada.
(*Entram Macbeth e um Criado, com uma tocha.*)
Quem vai lá?

MACBETH

Um amigo.

BANQUO

Senhor! Inda de pé? O rei deitou-se:
Ele teve prazer pouco comum,
Mandando grande dote pros seus cofres.
Doa este brilhante à sua esposa,
A quem chama bondosa anfitriã,
E deitou-se feliz.

MACBETH

Despreparados,
Nossa vontade curvou-se aos defeitos,
E de outro modo seria mais livre.

BANQUO

Está tudo bem.
Ontem à noite sonhei com as Três Bruxas:
Disseram-lhe verdades.

MACBETH

Não me afligem;
Porém, se nos ocorre uma hora vaga,
Podemos conversar sobre esse assunto,
Se me ceder seu tempo.

BANQUO

Ao seu dispor.

MACBETH

'Star do meu lado quando calhar bem
Lhe trará honra.

BANQUO

Des' que não a perca
Por querer aumentá-la e, sim, mantenha
Meu peito livre e minha lealdade,
'Stou aberto a conselhos.

MACBETH

Bom repouso!

BANQUO

O mesmo, e obrigado, meu senhor.

(*Saem Banquo e Fleance.*)

MACBETH

Pede à tua ama que, pronta a bebida,
Toque o sino.Vai pra cama agora. (*Sai Criado.*)
Será um punhal que vejo, à minha frente,
Com o cabo para mim?Vem que eu te agarro!
Não te alcanço, mas fico sempre a ver-te!
Então não és, visão fatal, sensível
Ao tato como aos olhos? Não és mais
Que uma adaga da mente, peça falsa
Nascida da opressão sobre o meu cérebro?
Vejo-te ainda, forma tão palpável
Quanto esta que ora empunho.
Tu guias no sentido em que eu já ia,
E arma igual a ti eu usaria.
Ou é bobo o olhar dos mais sentidos,
Ou vale ele por todos. Aí estás;
Mas ora pinga sangue a tua lâmina
Antes seca. Mas nada disso existe;
É meu plano sangrento que o inventa
Para os meus olhos. Ora em meio mundo

’Stá morta a natureza e sonhos maus
Abusam de quem dorme. A bruxaria
Celebra Hécate, e o Assassinato,
Desperto pelo lobo, sentinela
Cujo uivo é o seu alarme, pisa manso —
Qual Tarquínio estuprador — para o seu alvo,
Como um fantasma. Tu, oh terra firme,
Não ouças pr’onde eu ando, só por medo
Que as tuas pedras contem pr’onde eu vou.
E priva este momento do terror
Que a ele cabe. Eu falo, ele respira;
verbo aos atos todo calor tira. (*Toca o sino.*)
Vou e está feito. O sino me convida;
Não o ouça, Duncan, pois esse dobrar,
Pro céu ou para o inferno o vai chamar. (*Sai.*)

Cena II

O mesmo.

(*Entra Lady Macbeth.*)

LADY MACBETH

O que os embebedou deu-me coragem;
O que os saciou incendiou-me.
Sh!
Foi a coruja, o sineiro fatal
Que agoura boa noite. Ele age agora.
Portas abertas, tontos os criados,
Seu ronco é zombaria do dever;
Seus vinhos eu droguei, e a natureza
Neles luta com a morte pra saber
Se vivem ou se morrem.

MACBETH (*Fora.*)

Quem 'stá aí?

LADY MACBETH

Temo que acordem sem 'star tudo feito.
A tentativa, não o ato em si,
Pode perder-nos. Deixei os punhais
Lá bem à mão. Não podia enganar-se.
Se ele, dormindo, não se parecesse
Com o meu pai, eu o faria eu mesma.

(*Entra Macbeth carregando dois punhais sangrentos.*)

Marido!

MACBETH

Fiz o feito. Não ouviste barulhos?

LADY MACBETH

A coruja a gritar, e o som do grilo.
Que disse?

MACBETH

Quando?

LADY MACBETH

Agora.

MACBETH

Inda descia?

LADY MACBETH

Sim.

MACBETH

Atenção!
Quem fica no outro quarto?

LADY MACBETH

Donalbain.

MACBETH (*Olhando as mãos.*)

É uma triste visão.

LADY MACBETH

Que tolice dizer que é visão triste.

MACBETH

Um riu, dormindo; o outro uivou "Matança!",
Acordando-se os dois. Fiquei ouvindo;
Mas eles só rezaram, pra depois
Voltar ao sono.

LADY MACBETH

Os quartos são pra dois.

MACBETH

Disse um "Louvado seja Deus!", o outro,
["Amém!".
Conto se vendo estas mãos de carrasco,
Não pude, ao seu pavor, dizer "Amém",
Quando os ouvi dizer "Louvado seja!".

LADY MACBETH

Não pense tanto nisso.

MACBETH

Por que não pude eu dizer "Amém"?
Precisava de bênçãos, mas o "Amém"
Travou na minha boca.

LADY MACBETH

Não se pode
Pensar dessa maneira nesses feitos;
Assim ficamos loucos.

MACBETH

Me parece
Que ouvi uma voz gritar "Não dorme mais!
Macbeth matou o sono" — o mesmo sono
Que trança o fio fino do cuidado,
Morte diária, banho da labuta,
Bálsamo bom de mentes machucadas,
Pra natureza uma segunda via,
Alimento maior da vida.

LADY MACBETH

O quê?

MACBETH

"Não dorme mais!" gritou pra toda a casa;
Matou o sono Glamis, e então Cawdor
Não dorme mais; Macbeth não dorme mais.

LADY MACBETH

Mas quem gritou assim? Meu nobre *Thane*,
Por que curvar tua grande força a ideias
Assim doentes? Pega um pouco d'água
E lava as provas dessas mãos sangrentas.
Por que trouxeste de lá os punhais?
Precisam ficar lá. Volta e besunta
Com sangue os dois que dormem.

MACBETH

Nunca mais.
Eu temo quando penso no que fiz;
Não posso mais olhá-lo.

LADY MACBETH

Temeroso!
Dá-me os punhais. Os que dormem e os
[mortos
São só quadros. Só quem é criança
Vê o que temer em diabo pintado.
Se ele sangrar, pintarei os dois guardas,
Pra mostrar sua culpa. (*Sai.*)

MACBETH (*Batem, fora.*)

Quem bateu?
Por que todo ruído me apavora?
Que mãos são essas que me arrancam os
[olhos?
Será que o vasto oceano de Netuno
Pode lavar o sangue destas mãos?
Não; nunca! Antes estas mãos conseguiriam
Avermelhar a imensidão do mar
Tomando rubro o verde.
(*Entra Lady Macbeth.*)

LADY MACBETH

Tenho as mãos da tua cor; mas me envergonho
De ter tão branco o coração. (*Batem, fora.*)
Já batem
Na porta sul. Voltemos para o quarto.
Um pouco d'água limpa-nos do feito;
Como é fácil, então! Tua consciência
Parece abandonar-te. (*Batem.*) Mais batidas!
Põe camisa de noite, pra evitar
Nos mostrarmos assim despertos. Não te
[percas
Tão mal em pensamentos.

MACBETH

Melhor não conhecer-me que tomar
Consciência do meu feito. (*Batem mais.*)
Acordem Duncan com o seu bater. Quem
[dera o
conseguissem! (*Saem.*)

Cena III

O mesmo.

(*Entra um Porteiro.*)

(*Batidas fora.*)

PORTEIRO

Isso é que é bater! Se um homem fosse Porteiro do Inferno, ia ficar velho de virar a chave. (*Batem.*) Pam, pam, pam. Quem está aí, em nome de Belzebu? É um fazendeiro que se enforcou por causa da fartura anunciada: pode entrar, seu esperto; e traz muitos lenços, porque aqui se sua muito.

(*Batem.*) Pam, pam, pam. Quem está aí, em nome do outro diabo — Palavra que é um equivocando,* capaz de jurar pelos dois pratos da balança, um contra o outro; que traiu muito em nome de Deus, mas nem equivocando entrou no céu: Oh, podem entrar para equivocar aqui. (*Batem.*) Pam, pam, pam. Quem está aí? — Palavra que é um alfaiate inglês, preso por roubar umas calças francesas; entre, alfaiate, venha assar o seu peru.
(*Batem.*) Pam, pam, pam. Mas não descansa nunca! Você é o quê? Mas isto aqui é frio demais para Inferno. Não vou mais bancar Porteiro do Inferno; eu pensava já ter deixado entrar gente de todas as profissões, que foram pulando de flor em flor para a fogueira eterna. (*Batem.*) Já vou, já vou: por favor, não se esqueçam do Porteiro.
(*Abre o portão, entram Macduff e Lenox.*)

MACDUFF

Foi tão tarde para a cama, meu amigo, que
[está deitado
até tão tarde?

PORTEIRO

Na verdade, senhor, ficamos festejando até o segundo cantar do galo; e a bebida, senhor, provoca muito três coisas.

MACDUFF

Quais as três coisas que a bebida provoca
[mais especialmente?

---

* O termo "equivocar" e suas flexões ficaram em moda após o julgamento do jesuíta Garnet que, dizia-se, tentou evitar a condenação dando respostas "equívocas". A peça foi escrita logo depois. (N.T.)

PORTEIRO

Ora, senhor, pintura de nariz, sono e urina. A luxúria, senhor, ela provoca e desprovoca: provoca o desejo, mas liquida o desempenho. Portanto, pode-se dizer que muita bebida equivoca a luxúria: ela a ajuda e a estraga: empurra para cima e empurra para baixo; a convence e a desencoraja; levanta e deslevanta: em resumo, equivoca-se no sono e, desmentindo-a, deixa-a deitada.

MACDUFF

E parece que a bebida o desmentiu ontem à
[noite.

PORTEIRO

Isso mesmo, senhor, na minha goela: mas eu
[devolvi
a mentira; sendo forte demais para ela,
[quando ela me
pegou pelas pernas eu consegui botá-la para
[fora.

MACDUFF

Teu amo está de pé?
(*Entra Macbeth.*)
Batendo o acordamos. Lá vem ele.

LENOX

Bom dia, meu senhor.

MACBETH

Bom dia a ambos.

MACDUFF

Já levantou-se o rei?

MACBETH

Ainda não.

MACDUFF

Ele ordenou-me que o chamasse cedo;
Quase perdi a hora.

MACBETH

Eu o conduzo.

MACDUFF

Sei que a tarefa é alegre pro senhor,
Mas é tarefa.

MACBETH

Tarefa de prazer compensa a dor;
É essa a porta.

MACDUFF

Eu vou ousar chamar,
Pois tal me foi pedido. (*Sai.*)

LENOX

O rei vai hoje?
(*Entra Macbeth.*)

MACBETH

Vai. Assim o quis.

LENOX

A noite foi inquieta. Onde dormia,
O vento derrubou as chaminés;
E dizem que no ar gemeu a morte,
Profetizando em tons assustadores
Terríveis combustões e desatinos
Paridos de má hora. A ave aziaga
Piou a noite inteira. E a Terra, dizem,
Tremeu de febre.

MACBETH

A noite foi terrível.

LENOX

Minha memória jovem não lhe iguala
Nenhuma outra.
(*Volta Macduff.*)

MACDUFF

Horror, horror, horror!
Língua nem coração podem dizê-lo!

MACBETH, LENOX

Mas o que houve?

MACDUFF

O caos realizou sua obra-prima!
O assassino sacrílego arrombou

O templo do ungido do Senhor,
Roubando a sua vida!

MACBETH

O quê? A vida?

LENOX

Mas quer dizer Sua Majestade?

MACDUFF

Vão ao quarto e destruam sua visão
Com nova Górgona. — Não me perguntem:
Vejam por si, para falar depois.
(*Saem Macbeth e Lenox.*)
Alarme! Alarme!
Tocai o alarme! Homicídio e traição!
Banquo e Donalbain! Acorda, Malcolm!
Deixai o sono, imitação da morte,
E olhai a própria morte! Vinde ver
O juízo Final! Malcolm e Banquo,
Subi, como se espíritos, da tumba
Pra enfrentar o terror. (*O sino toca.*)
(*Entra Lady Macbeth.*)

LADY MACBETH

Que houve aqui
Pr'essa tropa terrível convocar
Os que dormem na casa? Falem, falem!

MACDUFF

Gentil senhora,
Não é pra seus ouvidos o que digo:
Repeti-lo ao ouvido feminino
É matá-lo ao chegar.
(*Entra Banquo.*)
Banquo! Banquo!
Mataram nosso real amo!

LADY MACBETH

Ai, ai!
Em nosso lar?

BANQUO

Cruel em qualquer parte.
Eu te peço, Macduff, que te renegues,
E digas que é mentira.
(*Voltam Macbeth e Lenox.*)

MACBETH

Se eu morresse uma hora antes do havido,
Minha vida seria abençoada.
Pois doravante nada há mais de sério
No mundo dos mortais. Tudo é brinquedo.
Morreram fama e graça; foi-se o vinho
Da vida, e ao mundo só restou a borra
Para jactar-se.
(*Entram Malcolm e Donalbain.*)

DONALBAIN

Quem se feriu?

MACBETH

Vós mesmos, se o soubésseis:
A fonte, o chefe, de vossa linhagem
'Stão cortados; sua fonte secou.

MACDUFF

Vosso real pai foi morto.

MALCOLM

Por quem?

LENOX

Os seus guardas de quarto, ao que parece;
Têm mãos e faces cobertas de sangue,
E as facas, ainda suas, encontramos
Em suas camas. 'Stão fora de si;
Não se pode confiar vida a eles.

MACBETH

Mesmo assim eu lamento a minha fúria
Quando os matei.

MACDUFF

Por que razão fez isso?

MACBETH

Quem é sábio quando atônito, em fúria,

Leal e neutro a um tempo? Não, ninguém:
A força do meu violento amor
Venceu o senso da razão. O rei
jazia ali em seu sangue dourado;
Cada talho feria a natureza
Pra admitir a ruína; os assassinos
Lá 'stavam coloridos pelo seu ofício,
Vestidos de entranhas. Como parar
Quem tem amor no coração e neste
Coragem pra exibi-lo?

LADY MACBETH

Quem me ajuda?

MACDUFF

Ajudem a senhora.

MALCOLM (*à parte, a Donalbain*)

Por que calamos nós, com mais direito
A reclamar o assunto?

DONALBAIN (*à parte, para Malcolm*)

O que dizer
Aonde o fado, oculto em uma ponta,
Pode nos agarrar? Vamos fugir:
Não ferve nosso pranto.

MALCOLM (*à parte, a Donalbain*)

Nem nossa dor
Já fez por se expressar.

BANQUO

Cuidem da dama.
(*Lady Macbeth é carregada para fora.*)
E depois de cobrir nossa nudez,
Que sofre sendo exposta, vamos juntos
Investigar esse ato sangrento
Para compreendê-lo. O medo nos abala:
Estou na mão de Deus, de onde
Lutarei contra a falsidade oculta
Da maldosa traição.

MACDUFF

E eu.

TODOS

E todos.

MACBETH

Vamos pôr nossas vestes varonis
Pra juntar-nos na sala.

TODOS

Foi bem-dito.
(*Saem todos menos Malcolm e Donalbain.*)

MALCOLM

O que farás? Não tratemos com eles:
Mostrar dor que não sente é uma tarefa
Que o falso cumpre bem.Vou pra Inglaterra.

DONALBAIN

E eu pra Irlanda: trilhas separadas
Nos deixam mais seguros; onde estamos
Há punhais nos sorrisos: ter seu sangue
Pode fazer sangrar.

MALCOLM

A fatal flecha
Ainda não pousou, e o mais seguro
É evitar o alvo. Então, montemos;
E esquecendo de adeuses delicados
Partamos logo. Está certo o ladrão
Que foge de onde não há coração.
(*Saem.*)

Cena IV

Fora do Castelo.

(*Entram Rosse e um Velho.*)

VELHO

De setenta eu me lembro muito bem;
E no limite desse tempo eu vi

Horas terríveis; porém esta noite
Tornou-as brincadeiras.

ROSSE

Ai, paizinho,
Veja que o céu, aflito com o erro humano
Ameaça seu palco em sangue. É dia,
Mas o negror sufoca a tocha exausta.
É só a noite ou vergonha do dia
Que enterram em negror todo este
Quando a luz viva o devia beijar?

VELHO

É anormal, como o ato perpetrado.
Na terça-feira um falcão altaneiro
Foi trucidado por uma coruja.

ROSSE

E os cavalos de Duncan (muito estranho).
Exemplos de beleza e agilidade,
Como feras fugiram da cocheira,
Negando obediência e parecendo
Estar em guerra.

VELHO

E se comeram, dizem.

ROSSE

Comeram; para o espanto dos meus olhos
Que tudo viram.

(*Entra Macduff.*)

Eis o bom Macduff.
E como está o mundo?

MACDUFF

Então não vê?

ROSSE

Já se sabe quem fez o ato sangrento?

MACDUFF

Aqueles que Macbeth matou.

ROSSE

Que dia!
Mas o que pretendiam?

MACDUFF

Foram pagos.
Malcolm e Donalbain, filhos do rei,
Fugiram escondidos; o que os deixa
Sob suspeita.

ROSSE

Também é anormal.
A sôfrega ambição devora tudo —
E até mesmo a vida! — Então parece
Que o soberano deve ser Macbeth.

MACDUFF

Já designado, ele foi para Scone
Pra investidura.

ROSSE

E onde está o corpo?

MACDUFF

Foi levado a Colme-kill,
Tumba sagrada de seus ancestrais,
Onde ficam seus ossos.

ROSSE

Irá a Scone?

MACDUFF

Não, primo; vou pra Fife.

ROSSE

Pois eu vou lá.

MACDUFF

Que veja tudo lá bem-feito: — Adeus!
Pra que os trajes de outrora não nos caiam
Melhor que as roupas novas de hoje em dia!

ROSSE

Adeus, paizinho.

VELHO

Leve a bênção de Deus sempre consigo;
O que quer bem, não mal, é sempre amigo. (*Saem.*)

Ato III
Cena I

Forres. Uma sala no Palácio.

(*Entra Banquo.*)

Banquo

Glamis, Cawdor, rei, tu já tens tudo agora,
Que as bruxas prometeram; temo, entanto,
Que agiste mal pra tê-lo; mas foi dito
Que nada passaria a teus herdeiros,
E que seria eu pai e raiz
De muitos reis. Se elas dizem verdades
(E em ti, Macbeth, rebrilham suas falas),
Então segundo o que a ti já trouxeram,
Não seriam pra mim também oráculo,
Fazendo-me esperar? Mas chega disso.

(*Fanfarra. Entram Macbeth, como rei, Lady Macbeth, como rainha, Lenox, Rosse, Lordes e séquito.*)

Macbeth

Nosso conviva principal!

Lady Macbeth

Que se esquecido
Seria falha em nossa grande festa,
Calhando muito mal.

Macbeth

Senhor, requisitamos sua presença
Na ceia que daremos esta noite.

Banquo

Vossa Alteza comanda os meus deveres,
Que a vós já são ligados para sempre,
De forma indissolúvel.

Macbeth

Vai montar hoje à tarde?

BANQUO

Sim, senhor.

MACBETH

Teria ouvido a sua opinião
(Sempre sóbria e sempre proveitosa.)
Neste conselho; fica pra amanhã.
Pretende ir longe?

BANQUO

O bastante, senhor, que cubra o tempo
De agora até a ceia: se for lento,
Eu pedirei à noite por empréstimo
Uma hora ou duas.

MACBETH

Mas não falte à festa.

BANQUO

Senhor, não faltarei.

MACBETH

Nossos primos sangrentos, nos informam,
Fugiram pra Inglaterra e pra Irlanda;
Sem confessar seu cruel parricídio,
Saturam seus ouvintes com invenções
Estranhas. Amanhã nós conversamos,
Quando, além dessa, outras questões de Estado
Já nos chamam. Adeus — vá cavalgar
Até a noite. Fleance também vai?

BANQUO

Vai sim, senhor. E é hora de partirmos.

MACBETH

Que montem patas firmes e velozes;
E a dorsos fortes eu os recomendo.
Adeus. (*Sai Banquo.*)
Que sejam todos donos de seu tempo
Até a noite, às sete;
Para tornar mais doce o nosso encontro,
Até a ceia ficaremos sós;
Que Deus 'steja com todos até lá.

(*Saem todos menos Macbeth e um servo.*)

Venha cá, moço.
Os homens nos aguardam?

SERVO

Sim, senhor;
Mas fora do palácio.

MACBETH

Vá buscá-los. (*Sai o Servo.*)
Que vale estar aqui este segurança?
Nosso medo de Banquo
Vai fundo, e em sua nobre natureza
Está tudo o que temo: ele ousa muito,
Porém a têmpera da sua mente
De modo sábio guia o seu valor
Para agir com segurança. A não ser ele,
Eu não temo ninguém. Mas ante ele
Meu gênio se rebaixa, como dizem
O de Antônio ante César. Quando as Bruxas
Me chamaram de rei, repreendeu-as
E quis que lhe falassem; profetisas,
Elas o honraram como pai de reis:
A coroa que uso não dá frutos
E um cetro estéril tenho em minha mão,
Que me será tirado sem linhagem,
Sem filho como herdeiro. Se assim foi,
Pela prole de Banquo maculei-me;
Minha taça de paz enchi de fel
Só por seus filhos; minha joia eterna
O Inimigo do Homem recebeu
Pra fazer reis da semente de Banquo!
Antes disso, meu fado, entra na liça
Pra me ajudar no combate mortal!
Quem 'stá aí?
(*Volta o Servo, com Dois Assassinos.*)
Vá pra porta e espere o chamado. (*Sai o Servo.*)
Não estivemos conversando ontem?

1° Assassino

Estivemos, Alteza.

Macbeth

Muito bem;
Pensaram no que eu disse? Perceberam
Que no passado ele é que os levou
Aos sofrimentos pelos quais julgavam
Ser eu o responsável? Tudo isso
Eu já lhes disse antes, e provei
Que foram enganados, perseguidos,
E lhes disse por quem, somando ainda
O bastante pra que até um tolo
Dissesse "Banquo o fez".

1° Assassino

O senhor disse.

Macbeth

Eu sei, e fui mais longe, o que agora
É o tema deste encontro. Consideram
Ter natureza assim tão paciente
Que possam esquecê-lo? São tão santos
Que rezam por tal homem e seus filhos,
Depois que sua mão tentou matá-los
E os deixou na miséria?

1° Assassino

Somos homens.

Macbeth

Sim, sei que num catálogo são homens,
Como galgo, mastim e veadeiro,
Pastor ou vira-lata são chamados
Pelo nome de cão: o bom arquivo
Distingue o lento, o veloz e o sutil,
O guarda e o caçador, cada um deles
Segundo os dotes com que a Natureza
O premiou, razão por que recebe
Um nome diferente do que aquele
Que faz todos iguais; assim com os homens.
Se tiverem lugar na humanidade

Que não seja o pior, peço que o digam;
E eu darei a seus peitos certo encargo
Que, destruindo um seu próprio inimigo,
Prende-os ao nosso amor e coração.
Que, adoentados pela vida dele,
sua morte cura.

2º Assassino

Eu sou um homem
Que os golpes e as pancadas deste mundo
Tanto marcaram, que pra mim pouco importa
O quanto ofenda o mundo.

1º Assassino

Enquanto eu,
Exausto e tão batido de infortúnios,
Entrego a minha vida a qualquer risco
Que a cure ou lhe dê fim.

Macbeth

É inimigo de ambos.

2º Assassino

Sim, senhor.

Macbeth

Meu também; e em tão letal medida
Que cada alento seu torna-se um golpe
Em minha própria vida. Embora eu possa
De cara limpa varrê-lo da vista,
Calcado na vontade, não convém;
Pois há certos amigos dele e meus
Que não posso perder, e haveriam
De prantear a queda de quem cai
Golpeado por mim. Tais os motivos
Porque venho abraçar sua assistência,
Negociando longe desses olhos
Por razões ponderosas.

2º Assassino

Nós faremos,
Senhor, o que mandar.

1°ASSASSINO

Mesmo que as vidas..

MACBETH

O seu valor transpira. Em uma hora
Eu lhes direi aonde devem ir,
Mostrando com perfeita precisão
A hora certa. Há que ser esta noite,
E longe do palácio. Tendo em mente
Que preciso certeza e que com ele
(Pra que não restem máculas da empresa.)
Seu filho Fleance, que está com ele,
E cuja ausência não me é menos básica
Do que a do pai, terá de partilhar
Da hora fatal. Mantenham-se escondidos.
Eu os procuro logo.

2° ASSASSINO

Está acertado.

MACBETH

Eu já irei chamá-los; vão pra dentro.
(*Saem os Assassinos.*)

MACBETH

Está feito. Banquo, sua alma, ao voar,
No céu só nesta noite pode entrar. (*Sai.*)

Cena II

O mesmo, uma outra sala.

(*Entram Lady Macbeth e um Servo.*)

LADY MACBETH

Banquo saiu da corte?

SERVO

Senhora, sim; mas 'stá de volta à noite.

LADY MACBETH

Diga ao rei que espero me conceda
Umas poucas palavras.

SERVO

Sim, senhora (*Sai.*)

LADY MACBETH

Não há ganhos, tudo é perda
Se o desejo se alcança sem prazer:
É mais tranquilo ser o que foi findo
Que ficar inseguro destruindo.
(*Entra Macbeth.*)
Então, senhor? Por que fica tão só,
Na companhia de lembranças tristes
E ideias que deviam ter morrido
Com os que as relembram? Coisas sem
[remédio
Não têm valor; o feito já está feito.

MACBETH

Nós ferimos a cobra, não matamos.
Vai reviver, enquanto o nosso fel
Inda periga ante as suas presas.
Que as coisas se destrocem, céus e terra
O mesmo, uma outra sala.
Sofram, antes que em medo nós comamos,
Dormindo na aflição de pesadelos
Que à noite nos abalem. Antes mortos
Com aqueles que à paz por paz mandamos,
Que deitarmos, a mente torturada,
Em sono inquieto. Duncan 'stá na tumba,
Dormindo após a febre desta vida;
A traição triunfou. Nada, nem aço,
Malícia em casa, veneno ou tributo,
Inda pode tocá-lo.

LADY MACBETH

Senhor, venha:
Abrande seu aspecto assim sombrio;
Seja alegre esta noite, com os convivas.

MACBETH

Eu o farei; faça o mesmo, senhora;
Desvie o pensamento para Banquo:
Cubra-o de honras com os olhos e a língua.
Enquanto incertos,
Lavemos nossa honra em elogios,
Mascarando com o rosto o coração,
Escondendo o que somos.

LADY MACBETH

Deixe disso!

MACBETH

Escorpiões entopem minha mente,
Querida! Banquo e Fleance vivem.

LADY MACBETH

Nem pra eles é eterna a natureza.

MACBETH

É um consolo sabê-los vulneráveis.
Alegria! Antes mesmo que o morcego
Alce seu soturno voo, ou que Hécate
Chame insetos, zunindo no monturo,
Pio voraz dobre da noite, há de vir
Um feito aterrador.

LADY MACBETH

O que farão?

MACBETH

Fique ignorante e inocente, tolinha,
Até louvar o feito. Noite cega,
Vem selar o suave olho do dia,
E com mão sangrenta e invisível
Rasga em pedaços o fio de vida
Que me tem preso! A luz vai se espessando:
Voa o corvo pra selva enegrecida;
Já começa a murchar o bem do dia.
E a noite para a presa agora guia.
Espanta-se? Aguarde para ver:
Só o mal pode o mal fazer crescer.
Por favor, venha comigo. (*Saem.*)

Cena III

O mesmo. Um parque, com um caminho que leva ao Palácio.

(*Entram três Assassinos.*)

1º Assassino

Quem o mandou juntar-se a nós?

3º Assassino

Macbeth.

2º Assassino

Por que desconfiar? Já que ele exerce
O mesmo ofício e o que é nossa tarefa,
Com o mesmo mando.

1º Assassino

Então fique conosco.
Inda há laivos de dia no Ocidente;
O viajante atrasado aperta o passo
Na busca de um abrigo desejado.
E já chega o objetivo desta guarda.

2º Assassino

São cavalos.

Banquo (*fora.*)

Tragam-me luz aqui!

2º Assassino

É ele; pois os outros convidados,
Já 'stão na corte.

1º Assassino

Os cavalos se afastam.

3º Assassino

Quase uma milha; esse é o seu costume,
Como de todos. Daqui ao palácio
Este é o caminho.
(*Entram Banquo e Fleance, com uma tocha.*)

2º Assassino

Uma luz! Uma luz!

3° Assassino

É ele!

1° Assassino

Alerta!

Banquo

Vai chover esta noite.

1° Assassino

Pois que caia!

(*1° Assassino apaga a tocha enquanto os outros dois atacam Banquo.*)

Banquo

Isso é traição! Bom Fleance, foge! Foge!
Podes vingar-me. Crápula!
(*Banquo morre. Fleance escapa.*)

3° Assassino

Quem apagou a luz?

1° Assassino

Não era o certo?

3° Assassino

Caiu um só. Fugiu o filho.

2° Assassino

Perdemos
A melhor metade do trato.

1° Assassino

Bom, vamos embora. (*Saem.*)

Cena IV

Um salão de Estado no palácio.
Um banquete preparado. (Entram Macbeth, Lady Macbeth, Rosse, Lenox, Lordes e séquito.)

Macbeth

Conhecem seus lugares. Ao primeiro
E até ao último dou boas-vindas.

LORDES

Obrigados a Vossa Majestade.

MACBETH

Nós vamos misturar-nos aos presentes,
Fazendo-nos de humilde anfitrião.
A anfitriã fica no trono e, em tempo,
Lhe pedirei que dê as boas-vindas.

LADY MACBETH

Dê-as por mim, senhor; o coração
Fala pra receber nossos amigos.
(*Entra, pela porta, o 1º Assassino.*)

MACBETH

Também com o coração respondem eles;
As partes se equivalem: vou sentar-me
No meio, com alegria. Em um momento,
Bebemos todos. (*Vai até a porta.*)
Há sangue no seu rosto.

ASSASSINO

Só de Banquo.

MACBETH

Melhor fora em você que dentro nele.
Despachou-o?

ASSASSINO

Senhor, cortei-lhe a goela;
Foi o que fiz.

MACBETH

Melhor dos corta-goelas!
Tão bom quanto o que fez o mesmo a
[Fleance.
Se foi você, não há melhor no mundo.

ASSASSINO

Meu mui real senhor. Fleance fugiu.

MACBETH

Sinto outro ataque quando, de outro modo,
Tema a perfeição marmórea e íntegra,
Firme qual rocha e ampla como os ares:

Mas ora estou cercado, preso, atado,
A dúvidas e medos. Banquo é certo?

ASSASSINO

Sim, senhor; ele jaz em uma vala
Com vinte golpes fundos na cabeça
Todos eles mortais.

MACBETH

Muito obrigado.
Morre a víbora-pai; o verme-filho
Vai recompor-se e destilar veneno;
Mas não agora. Saia, e amanhã
Conversaremos. (*Sai Assassino.*)

LADY MACBETH

Senhor meu rei,
Não estais comemorando; a festa é paga,
Se não há cortesia e boas-vindas;
Comer em casa é sempre o que é melhor;
Mas, fora, o tempero é o protocolo:
Festa sem ele é pobre.

MACBETH

Bem lembrado!
Pra boa mesa, boa digestão;
Saúde em ambos!

LENOX

Vossa Alteza não se senta?

MACBETH

Aqui 'staria a honra do país
Se aqui tivéssemos Banquo;
(*Entra o Fantasma de Banquo e se senta na*
[cadeira de Macbeth.)
Que prefiro acusar de negligência
Que chorar por tropeço.

ROSSE

Essa ausência
Desmente sua promessa. Vossa Alteza
Não nos honra com sua companhia?

MACBETH

'Stá cheia a mesa.

LENOX

É vosso este lugar.

MACBETH

Aonde?

LENOX

Aqui, senhor. O que é que o perturba?

MACBETH

Mas quem, aqui, fez isso?

LADY MACBETH

O quê, senhor?

MACBETH

Não podes me acusar; e nem sacudas
Pra mim o teu cabelo ensanguentado.

ROSSE

Vamos, senhores; o rei não está bem.

LADY MACBETH

Sentai-vos, meus amigos: Meu senhor
Desde a infância que passa mal assim.
Ficai sentados. Passa em um momento;
Já estará bem, e só se o reparardes
É que o ofendeis, agravando a paixão.
Comei e esquecei-o. (*a Macbeth*) Não é [homem?

MACBETH

Sim, e bravo, que ousa olhar de frente
O que assusta o Demônio.

LADY MACBETH

Grande coisa!
Isso é bem o retrato do seu medo;
É o punhal de ar que, como disse,
Levou-o a Duncan. Tais sustos e ataques
(Impostores do medo) ficam bem
Nos contos de comadre que, no inverno,
Conta a velha à lareira. Que vergonha!

Mas por que tais esgares? Pra, no fim,
Olhar uma cadeira.

MACBETH

Olhe! Veja!
Não está vendo? E agora, o que é que diz?
O que importa? (*para o Fantasma*) Fala, se [puderes
Se ossário e tumba agora nos devolvem
Os que enterramos, nossos monumentos
Serão ração de abutres. (*O Fantasma* [*desaparece.*)

LADY MACBETH

O que é isso?
Já deixou de ser homem, com a loucura?

MACBETH

Estou certo que o vi.

LADY MACBETH

Mas que vergonha!

MACBETH

Muito sangue correu na antiguidade
Antes que leis domassem os humanos;
E desde então já houve assassinatos
Dos mais apavorantes: houve tempo
Em que, sem cérebro, um homem morria,
E isso era o fim; agora eles retornam,
Com vinte mortes certas na cabeça,
Sentando em nosso banco. É mais estranho
Que o próprio assassinato.

LADY MACBETH

Meu senhor,
Vossos amigos sentem vossa falta.

MACBETH

Perdão; e não vos espanteis, amigos.
Sofro de mal estranho, coisa pouca
Pra quem já sabe. A todos vós, saúde!
Já vou sentar-me. E dai-me muito vinho!
Bebo a todos os que estão à mesa,

E ao querido Banquo, que nos falta.
Quisera vê-lo aqui! (*Volta o Fantasma.*)
A vós e a ele,
Bebamos fundo.

LORDES

A nosso fiel dever.

MACBETH

Fora! Longe dos olhos! Volta à terra!
Teus ossos estão ocos, frio o sangue.
Não tens penetração com esses teus olhos,
Com os quais me fitas.

LADY MACBETH

Julgai, caros nobres,
Que isso é rotina e nada mais; apenas
Vem perturbar esta hora de prazer.

MACBETH

Eu ouso o que ousa o homem:
Vem a mim qual selvagem urso russo,
Como um rinoceronte ou tigre hircano;
Toma outra forma qualquer e os meus nervos
Jamais se abalarão; ou vive agora,
E chama-me co'a espada pro deserto;
Se eu tremer então, podes chamar-me
Brinquedo de criança. Vai-te, sombra;
Arremedo irreal, desaparece! (*Sai o*
[*Fantasma.*)
Ele se foi e eu sou de novo um homem;
Sentai-vos por favor.

LADY MACBETH

Senhor, vós acabastes com a alegria,
Rompendo a festa com os vossos
[desmandos.

MACBETH

Podem tais coisas existir e sombrear-nos,
Qual nuvem de verão, sem ser com espanto?
Vós me fazeis um estranho de mim mesmo
Se sois capazes de ver tais visões

Mantendo o natural rubi da face,
Quando eu empalideço de terror.

ROSSE

Mas que visões, senhor?

LADY MACBETH

Silêncio, eu peço.
Esquecei de momento a hierarquia;
Perguntas o pioram. Boa noite;
Ide logo.

LENOX

Boa noite e saúde
A Sua Majestade!

LADY MACBETH

Boa noite!

(*Saem Lordes e Criados.*)

MACBETH

Ele quer sangue: sangue pede sangue;
Pedras correram, árvores falaram,
Augúrios, muitas concatenações,
Por gralhas e por corvos, revelaram
O sangue mais secreto. Ainda é noite?

LADY MACBETH

Luta com o dia para ver qual é qual.

MACBETH

Que diz de ter Macduff ficado ausente,
Ante nossa alta ordem?

LADY MACBETH

Foi chamado?

MACBETH

Ouvi que sim; mas eu hei de chamá-lo.
Não resta mais ninguém sem ter em casa
Alguém em minha paga. E amanhã
(Já era tempo.) irei buscar as Bruxas.
Hão de falar-me; anseio por saber
Pelos piores meios, o pior.

Em meu proveito tudo há que ceder;
Estou tão fundo em sangue que, se paro,
A volta e a travessia são iguais.
Eu tenho em mente estranhas empreitadas.

LADY MACBETH

Falta-lhe o sono, que tempera a vida.

MACBETH

Vamos dormir. Minha estranha ilusão
É um temor que se cura com ação:
Inda somos novatos em tais feitos. (*Saem.*)

Cena V

A charneca.

(Trovão. Entram as Três Bruxas. Encontram Hécate.)

1ª BRUXA

O que há, Hécate? Parece irada

HÉCATE

Megeras vis, e não é para estar?
Com seu abuso até de ousar
Com Macbeth tratar nos cantos,
Falar de morte e de encantos,
E eu, que sou sua patroa,
Em toda essa maldade boa
Nem fui chamada a tomar parte,
Na glória desta nossa arte?
E, o que é pior, o que foi feito
Foi para um filho tão sem jeito,
Que só tem ódio e, nesta vez,
Age pra si, não pra vocês.
Pra paga vão até a fonte
Onde aparece o Aqueronte:
De manhãzinha ele há de vir

Pra saber de seu porvir.
Levem panelas e encantos
Com mágicas e com quebrantos;
De noite eu voo para o mal,
Pois vou fazer feito fatal:
Antes que chegue o meio-dia,
Num canto da lua fria,
Há uma gotinha de vapor;
Nele, caindo, a mão vou pôr:
Por mágica manipulada,
Sendo por elfos elevada,
Com a força de sua ilusão
Vai aumentar-lhe a confusão:
Desafiando fado e morte,
Pr'além de medo, graça e sorte;
E sabem: confiar demais
É o inimigo dos mortais
(*É cantada, fora, "Venha embora, venha*
[*embora." etc.*)
Muita atenção: 'stão me chamando;
O espírito 'stá me esperando (*Sai.*)

Cena VI

Em algum ponto da Escócia.

(*Entram Lenox e um outro lorde.*)

LENOX

Só falei pra acordar seu pensamento,
Que pode ver mais longe: eu só afirmo
Que as coisas 'stão estranhas. Do bom Duncan
Teve pena Macbeth — pois está morto;
Saiu à noite o valoroso Banquo,
E quem quer diz que Fleance o matou,

Pois fugiu. Não é bom sair à noite.
Quem não sabe o que foi de monstruoso
O ato de Malcolm e de Donalbain,
Matando seu pai? É um fato horrendo.
Como sofreu Macbeth! Tanto que, logo,
Em fúria santa não matou os crápulas
Atordoados com bebida e sono?
Não foi um gesto nobre? Não foi sábio?
Pois não há coração que não se irasse
Ouvindo os dois negar a sua culpa.
Digo eu que ele agiu bem: e penso, mais
Que se prendesse os filhos do rei morto
(Que o céu não o permita) eles veriam
O que é matar um pai. Fleance também.
Mas saiba que se diz que, por negar
Sua presença à festa do tirano,
Macduff 'stá desgraçado. Sabe, acaso,
Para onde foi?

LORDE

Sei que o filho de Duncan
De cuja herança o tirano privou,
Vive na corte inglesa, e é recebido
Por Eduardo, o piedoso, com tal graça,
Que a crueldade da fortuna em nada
Lhe tira o alto respeito. Lá Macduff
Foi procurar intercessão do rei santo
Pra despertar Northumberland e Siward
Pra que, com Sua ajuda (e o apoio d'Ele,
Lá no céu), nós possamos novamente
Dar carne às mesas, sono às nossas noites,
Livrar de sangue festas e banquetes,
Fazer juras leais, ter honras livres,
Que são nossos anseios. Tal notícia
Exasperou em tal medida o rei
Que ele já se prepara para a guerra.

LENOX

E ele mandou chamar Macduff?

LORDE

Mandou, e ante um peremptório "Não!"
O sombrio emissário deu-me as costas
E resmungou dizendo "Haverá tempo
Pra lamentar tal resposta."

LENOX

É melhor
Dizer-lhe que se cuide, e fique longe
Como melhor pensar. Que algum anjo
Voe até a corte inglesa e lá revele
Sua mensagem antes que ele chegue,
Para que logo, logo, abençoada
Volte a ser nossa pátria que hoje sofre
Sob mão maldita!

LORDE

Ele tem minhas preces. (*Saem.*)

Ato IV
Cena I

Uma caverna escura. No meio, um caldeirão fervendo.

(*Trovão. Entram as Três Bruxas.*)

1ª BRUXA

Três vezes miou o gato.

2ª BRUXA

Três guinchou o porco-espinho.

3ª BRUXA

Grita a Harpia: É hora, é hora!

1ª BRUXA

O caldeirão vai girando,
As tripas envenenando;
Sapo que na pedra fria
Todo mês, de dia a dia,

Seu veneno destilado
Ferve no pote encantado.

TODAS

Dobrem males e aflição
Nas bolhas do caldeirão.

2ª BRUXA

Cobra de terra encharcada,
No caldeirão cozinhada;
Pó de sapo e de girino,
Lã de morcego, cão latido;
Língua dupla de serpente.
Verme de veneno quente;
Perna de lagarto coxo,
Asa de corujo roxo;
Pra criar muita aflição
No inferno do caldeirão.

TODAS

Dobrem males e aflição
Nas bolhas do caldeirão.

3ª BRUXA

Mau dragão, dente de lobo,
Múmia de bruxa com lodo;
Tubarão louco e salgado,
Veneno à noite apanhado;
Fígado de mau judeu,
Fel de ovino que escorreu
Em luar empratecido;
Nariz de turco e bandido,
Dedo de neném matado,
Por puta no chão jogado,
Faz um caldo bem pesado;
Com sangue de tigre-fera
Nosso caldeirão tempera.

TODAS

Dobrem males e aflição
Nas bolhas do caldeirão.

2ª Bruxa

Sangue de macaco esfria
E bom encanto se cria.
(*Entra Hécate, com outras Três Bruxas.*)

Hécate

Gostei — ninguém fez bobagem:
Todas ganharam vantagem;
Em torno do caldeirão
Cantemos nossa canção,
Pra fazer encantação.
(*Música, e uma canção "Negros Espíritos" etc.*
[*Saem Hécate e as outras Três Bruxas.*)

2ª Bruxa

Pinica meu polegar:
Algo mau 'stá pra chegar.
Abre logo a fechadura,
Pra quem bate e nos procura.
(*Entra Macbeth.*)

Macbeth

Bruxas secretas desta noite negra,
Que estão fazendo?

Todas

O que nunca tem nome.

Macbeth

Eu as conjuro, pelo que professam:
Respondam-me, não importa como o saibam:
Mesmo que soltem ventos, e os atirem
Contra igrejas; e as mais imensas ondas
Entorteçam navios e os engulam,
Que matem trigo e que derrubem árvores,
Que castelos desabem sobre os guardas,
Palácios e pirâmides recurvem
Suas torres mais altas sobre as bases,
E germes naturais se mesclem todos,
Até que a própria destruição se enoje,
Quero resposta àquilo que pergunto.

1ª BRUXA

Fala.

2ª BRUXA

Pergunta.

3ª BRUXA

Nós responderemos.

1ª BRUXA

Diz se preferes que falemos nós,
Ou nossos mestres?

MACBETH

Eles. Quero vê-los.

1ª BRUXA

Derrama sangue de leitoa
Que devorou a prole à toa;
Joga na chama do destino
Sebo de forca de assassino.

TODAS

Alto a baixo, fim e início,
Mostra-te, e ao teu ofício.
(*Trovão. Aparece uma cabeça armada.*)

MACBETH

Diz-me, poder ignoto..

1ª BRUXA

Ele já sabe
Teu pensamento. Ouve e não diz nada.

1ª APARIÇÃO

Macbeth! Macbeth! Cuidado com Macduff!
Cuidado com o *Thane* de Fife. Já basta.
(*Desce.*)

MACBETH

Sejas quem fores, grato pelo aviso!
Apoiaste o meu medo. Apenas mais..

1ª BRUXA

Ele não ouve ordens. Eis um outro,
Ainda mais potente.

(*Trovão. 2ª Aparição. Uma criança ensanguentada.*)

2ª Aparição

Macbeth! Macbeth! Macbeth!

Macbeth

Tivesse eu três ouvidos pra te ouvir!

2ª Aparição

Sê ousado, sangrento e resoluto:
Ri dos homens, pois ninguém parido
Por mulher fere Macbeth. (*Desce.*)

Macbeth

Então vive, Macduff! Por que temer-te?
Mas mesmo assim prefiro garantir-me,
Firmando o fado: não hás de viver,
Pr'eu mostrar ao meu medo que ele mente
E dormir, apesar do trovejar

(*Trovão. 3ª Aparição. Urna criança coroada, com uma árvore na mão.*)

O que é isso,
Que se levanta, um herdeiro real,
Que ostenta, em sua testa de criança,
A glória do poder?

Todas

Ouve, não fala.

3ª Aparição

Com bravo orgulho de leão ignora
Quem chora, quem reclama, quem conspira:
Macbeth jamais será vencido enquanto
A floresta de Birnam não subir
Contra ele em Dunsinane. (*Desce.*)

Macbeth

Isso é impossível:
Recrutar matas? Mas quem pede à árvore
Que desloque a raiz? Que bom augúrio!
Mortos rebeldes só levantam quando
Birnam mover-se; e o supremo Macbeth
Com vida natural terá, no tempo,
O alento dos mortais. Mas o meu peito

Quer saber mais: diz, se a tua arte
Pode dizê-lo, se a raça de Banquo
Irá reinar aqui?

TODAS

Não busques mais.

MACBETH

Eu tenho de saber. Se isso me negas,
Eterna maldição recaia em ti.
Fala! Onde vai o caldeirão? Que ouço?
(*Fora, tocam oboés.*)

1ª BRUXA

Mostra.

2ª BRUXA

Mostra.

3ª BRUXA

Mostra.

TODAS

Mostra aos olhos, corta o coração!
Como sombras, vêm e vão!
(*Um desfile de oito reis, o último dos quais com um espelho na mão, Banquo os segue.*)*

MACBETH

És por demais como o espectro de Banquo!
Queima-me a vista a tua coroa. Vai-te!
Como é igual este outro coroado!
O terceiro também: bruxas malditas!
Pra que mostrar-me? Um quarto? Saltem,
[olhos!
O quê? A fila chega ao fim do mundo?
Ainda um outro? O sétimo? Não olho!
Mas ainda um oitavo, com um espelho
Que mostra muito mais. (Alguns, eu vejo,
Carregam orbe duplo e cetro triplo.
Visão terrível!) Era, então, verdade;

---

* O então rei da Inglaterra, James I, se tinha como descendente de Banquo.

Pois Banquo, ensanguentado, me sorri,
Mostrando sua estirpe. Então, é isso?

1ª BRUXA

Sim, senhor, é tudo assim.. mas por que
Fica Macbeth tão espantado?
Alegremos, irmãs, o seu espírito,
Mostrando-lhe os prazeres que comandam.
Eu crio um som pro nosso ar,
Só pra ver você dançar;
Pra que o rei com bondade aprenda
Que cumprimos a encomenda.

(*Música. As Bruxas dançam e depois desaparecem.*)

MACBETH

Foram-se todas? Que esta hora má
Seja maldita em todo o calendário!
Entre, quem 'stá lá fora!

LENOX

O que deseja?

MACBETH

Viram as Bruxas Irmãs?

LENOX

Não, meu senhor.

MACBETH

Não passaram por ti?

LENOX

Creio que não.

MACBETH

Infectado seja o ar por onde passam;
Maldito seja quem confia nelas!
Ouvi galopes — quem está chegando?

LENOX

Dois ou três que vieram informá-lo:
Macduff foi pra Inglaterra.

MACBETH

Pra Inglaterra?

LENOX

Sim, meu bom senhor.

MACBETH (*à parte*)

O tempo antecipou meu ato horrível.
A ideia célere nunca é atingida
Sem ação que vá junto. Doravante
O primogênito do coração
O será desta ruão. E ainda agora
Vou coroar a ideia com os meus atos
É pensar e fazer. Vou surpreender
O castelo do *Thane,* conquistar Fife,
Passar na espada os filhos, a mulher,
Todo o seu sangue. É tolo eu me gabar;
Hei de fazê-lo antes de esfriar.
Mas basta de visões! Onde estão eles?
Leva-me aonde estão. (*Saem.*)

Cena II

Fife. Uma sala do castelo de Macduff.

(*Entram Lady Macduff, seu Filho e Rosse.*)

L. MACDUFF

Mas que fez ele, pra ter de fugir?

ROSSE

Tenha paciência.

L. MACDUFF

Mas ele não teve.
Foi louco em fugir. Se não os nossos atos,
Os nossos medos fazem-nos traidores.

ROSSE

Não sabe se foi sábio ou temeroso.

L. MACDUFF

Sábio! Se deixa aqui mulher e filhos,
Sua casa, seus títulos, na terra
Da qual ele foge? Não nos ama;
Não tem sentimento. A cambaxirra,
Das aves a mais pequena, luta sempre
Pra proteger os filhos da coruja.
Mas nele tudo é medo, nada é amor;
Não há sabedoria onde a fuga
Vai tão contra a razão.

ROSSE

Querida prima,
Peço que se controle: o seu marido
É nobre, sábio, austero, e sabe bem
Como são os caprichos destes tempos.
Mais não ouso dizer. Há crueldade
Quando somos traidores sem saber;
Quando há rumores de um medo sem
[nome,
Flutuando em um mar bravo e revolto,
Sempre à deriva. Agora eu me despeço:
Mas não demorarei em voltar cá.
O que atingiu o fundo, ou para, ou sobe
Para onde estava antes. Meu priminho,
Que Deus o abençoe!

L. MACDUFF

Um pai o fez, mas ele não tem pai.

ROSSE

Seria um louco se ficasse mais:
Eu me perco, e à senhora comprometo.
Já me vou (*Sai.*)

L. MACDUFF

Menino, seu pai morreu;
Que vai fazer? E como vai viver?

FILHO

Como as aves, mamãe.

L. MACDUFF

De mosca e verme?

FILHO

Do que eu pegar, que é o que eles fazem.

L. MACDUFF

Coitado! Que não teme rede ou linha,
Tiro ou alçapão.

FILHO

Por que temer, mãe?
Ninguém pensa em pegar ave pequena;
Pode dizer, mas meu pai não 'stá morto.

L. MACDUFF

'Stá, sim; e agora, como arranja um pai?

FILHO

E a senhora? Arranja algum marido?

L. MACDUFF

Posso comprar uns vinte no mercado.

FILHO

Mas compra pra vender depois de novo.

L. MACDUFF

Você, falando assim, é muito esperto;
Esperto até demais pra sua idade.

FILHO

Mãe, meu pai era traidor?

L. MACDUFF

Sim, ele era.

FILHO

O que é um traidor?

L. MACDUFF

Quem jura e mente.

FILHO

E são traidores todos que assim fazem?

L. MACDUFF

Todos os que assim fazem são traidores e
[têm de ser enforcados.

FILHO

E têm de ser enforcados todos os que juram
[e mentem?

L. MACDUFF

Todos.

FILHO

E quem tem de enforcá-los?

L. MACDUFF

Ora, os homens honestos.

FILHO

Então os mentirosos e juradores são bobos; pois há bastantes mentirosos e juradores para ganhar dos homens honestos e enforcá-los.

L. MACDUFF

Que Deus o proteja, macaquinho! Mas o que vai fazer para arranjar um pai?

FILHO

Se ele estivesse morto, a senhora choraria por ele; e se não, seria bom sinal de que eu logo teria um outro pai.

L. MACDUFF

Pobre matraqueador; como você fala!
(*Entra um Mensageiro.*)

MENSAGEIRO

Que Deus a abençoe. Não me conhece,
Embora eu saiba bem seu posto e honra.
Temo que haja perigo muito perto:
Se aceita de um humilde um bom conselho,
Não fique aqui. Fuja com seus filhinhos!
Sei que é grosseiro assustá-la com isso,
Porém cruel é fazer-lhe inda pior,
Como o que se aproxima. Deus a tenha!
Não ouso ficar mais. (*Sai.*)

L. MACDUFF

Fugir pra onde?
Não fiz mal a ninguém. Porém me ocorre

Que vivo neste mundo, onde agir mal
Às vezes é louvável, mas o bem
É tido qual loucura perigosa:
Como usar a defesa feminina,
A de dizer que não fiz mal?
Mas que rostos são esses?
(*Entram Assassinos.*)

ASSASSINO

Onde está seu marido?

L. MACDUFF

Não em local tão privado de bênçãos
Que alguém como tu possa encontrá-lo.

ASSASSINO

Ele é traidor.

FILHO

'Stás mentindo, vilão!

ASSASSINO

Seu ovinho! Filhote da traição! (*Apunhala-o.*)

FILHO

Ele me assassinou! Foge, mamãe! (*Morre.*)

(*Sai Lady Macduff, gritando "Assassinos!" e perseguida por eles.*)

Cena III

Inglaterra. Uma sala no Palácio do rei.

(*Entram Malcolm e Macduff.*)

MALCOLM

Busquemos uma sombra desolada
Onde esgotar em pranto nossos peitos.

MACDUFF

Tomemos antes espadas fatais,
E como homens honestos dominemos

Nossa terra natal. A cada dia
Uivam novas viúvas, novos órfãos;
As dores ferem o rosto do céu,
Que ressoa como a sentir com a Escócia,
E ecoa sua dor.

MALCOLM

Choro o que creio;
Creio o que sei; o que possa curar
E tiver tempo pra abrigar, farei.
O que me disse pode ser, talvez;
Esse tirano, cujo nome fere
As nossas línguas, outrora já foi
Julgado honesto, e o senhor o amou;
Ele inda não o tocou. Eu sou jovem:
O senhor pode lucrar, junto a ele,
Graças a mim ser sábio, oferecendo
Um cordeirinho fraco e inocente
Para aplacar um deus irado.

MACDUFF

Não sou traiçoeiro.

MALCOLM

Mas Macbeth o é.
A natureza boa se retrai
A voz imperial. Mas me perdoe;
O que eu penso não pode transformá-lo:
Os anjos brilham, apesar de Lúcifer;
Embora horrores mostrem puro aspecto,
Tem de mostrá-lo a Graça.

MACDUFF

Eu desespero.

MALCOLM

Talvez nasçam daí as minhas dúvidas.
Por que deixou o seu lugar ao desamparo
(Laços de amor, motivos preciosos)
E sem se despedir? Mas eu lhe imploro:
Tal suspeita não é sua desonra,

Só minha segurança: será justo,
Pense eu o que pensar.

MACDUFF

Oh pátria, sangra!
Grande tirano, firma as tuas bases,
Pois os bons não te enfrentam! Mostra o mal
Como título honrado! — Adeus, senhor:
Não seria o vilão que me julgou
Nem por todas as posses do tirano,
Mais as joias do Leste.

MALCOLM

Não se ofenda.
Falei não por temê-lo tanto assim.
Sob uma carga a pátria está curvada;
Pranteia e sangra; e a cada dia um talho
Aumenta os ferimentos. Penso, então,
Que muitas mãos por mim se ergueriam;
E da doce Inglaterra eu tenho oferta
De alguns milhares: porém mesmo assim,
Quando eu pisar em cima do tirano,
Ou ostentar na espada a sua cabeça,
A pobre pátria inda terá mais vícios
Que antes, e verá mais sofrimentos
Nas mãos do sucessor.

MACDUFF

Mas quem é ele?

MALCOLM

Eu falo de mim mesmo, em quem conheço
Tais detalhes de vícios arraigados
Que ao florescerem, o negro Macbeth
Há de parecer neve, e o pobre Estado
O terá por cordeiro, comparado
Com o meu mal sem limites.

MACDUFF

Nem na tropa
Que habita o inferno pode haver demônio
Pior do que Macbeth.

MALCOLM

Sei que ele é falso,
Sangrento, enganador, luxurioso,
E cheira a todo tipo de pecado
Que tenha nome. Porém não há limites
Para a minha volúpia: suas filhas,
Mulheres e donzelas não saturam
A vala de luxúria e de desejo
Que venceriam todo impedimento
Que a mim se opusesse; antes Macbeth,
Que alguém assim reinar.

MACDUFF

Tal descontrole
Na natureza é tirano, e já foi
Causa de muito rei vagar seu trono
Em queda prematura. Mas não tema
Reclamar o que é seu. Há de encontrar
Espaço pra gozar os seus prazeres
Com aspecto sério — os tempos o
[permitem.
Sempre há damas dispostas; no senhor
Não pode haver um corvo que devore
Todas as que aos grandes se querem dar,
Quando buscadas.

MALCOLM

E com isso ainda cresce
Em minhas afeições, tão anormais,
Avareza insaciável que, se rei,
Eu tiraria aos nobres suas terras;
Tirando joias de uns, casas de outros,
Num querer-mais cujo sabor traria
Fome sempre maior, que me faria
Forjar lutas iníquas entre os bons,
Só para ter seus bens.

MACDUFF

Tal avareza
Vai mais fundo e é mais perniciosa

Que a luxúria de estilo; e ela tem sido
Espada contra reis: porém não tema;
A rica Escócia tem para bastar-lhe,
Só em bens da coroa. É suportável
Quando há outras graças.

MALCOLM

Pois a mim faltam todas as reais:
Justiça, Verdade, Temperança,
Misericórdia e Generosidade,
Perseverança, Humildade e Coragem,
Paciência, Firmeza e Equilíbrio
Não me apetecem; eu sou antes pródigo
Em todo aspecto dos mais vários crimes,
E todos eu cometo. Com poder,
Mandava ao diabo o leite da concórdia,
Quebrava a paz universal, matando
A unidade da terra.

MACDUFF

Competente
Pra governar? Não, nem para viver!
Triste nação, cujo cetro de sangue
'Stá com um tirano sem direito a ele.
Quando verás teus dias com saúde,
Se o herdeiro legítimo do trono
Por sua própria boca é acusado,
E macula sua raça? O rei seu pai
Foi sempre um santo, e sua real mãe
Vivia ajoelhada mais que em pé,
Morrendo a cada dia. Então, adeus!
Os males que lançou sobre si mesmo
Baniram-me da Escócia. Peito meu,
Ora foi-se a esperança.

MALCOLM

Tal paixão,
Filha de integridade, de minh'alma
Matou as dúvidas e convenceu-me
Que é leal. O demônio Macbeth

Com muitos truques já tentou pegar-me
Em suas mãos; e o cuidado ensinou-me
A não ter pressa em crer; mas que só Deus
Se ponha entre nós dois! Pois doravante
Entrego-me à sua orientação,
E desdigo o que disse. Aqui abjuro
Culpas e manchas de que me acusei,
E que me são estranhas. Até hoje
Não conheci mulher, não quebrei jura,
Mal cobicei sequer o que era meu:
Cumpri deveres, e não trairia
Sequer o Demo a um companheiro seu.
Vida e verdade são pra mim iguais;
Só incuti ao falar a meu respeito
Eu mesmo servirei a si e à pátria:
Pra onde, antes de sua chegada
O velho Siward, com dez mil guerreiros,
Em armas 'stavam prontos a partir.
Agora vamos juntos: que o sucesso
Coroe a justa causa. Por que cala?

MACDUFF

O que é bem-vindo e não a um só tempo
Custo a conciliar.

(*Entra um Médico.*)

MALCOLM

Depois falamos.
Por favor, o rei sai hoje?

MÉDICO

Sai, senhor, pois um bando de infelizes
Espera a sua cura: suas doenças
Derrotam toda arte; mas seu toque
De tão santas o céu lhe fez as mãos,
As cura logo.

MALCOLM

Obrigado, doutor. (*Sai o Médico.*)

MACDUFF

De que doença fala?

MALCOLM

Da chamada
O Mal: e faz milagres o bom rei
Que muita vez, estando na Inglaterra,
Testemunhei. Como invoca ele o céu,
Só ele sabe; mas males estranhos,
Chagas inchadas que dá pena olhar,
E derrotam o inédito, ele cura.
Ele pendura, em torno dos pescoços,
Com muita reza, uma moeda de ouro
E dizem que transmite à sua linhagem
A bênção de curar. E a tal virtude
Junta ele ainda o dom da profecia:
As muitas bênçãos que cercam seu trono
Proclamam sua graça.

(*Entra Rosse.*)

MACDUFF

Olhe quem chega.

MALCOLM

É meu patrício, mas não sei quem seja.

MACDUFF

Seja bem-vindo aqui, meu gentil primo.

MALCOLM

Não o conheço; que o bom Deus afaste
Tudo o que nos faz desconhecidos.

ROSSE

Amém, Senhor.

MACDUFF

A Escócia continua a mesma?

ROSSE

Ai, ai,
Quase com medo de se conhecer.
Não é mais nossa mãe, é nossa tumba,

Onde só o ignorante ainda ri,
Onde o uivo de dor que corta o ar
Vibra sem ser notado; e onde a dor
Mesmo violenta parece rotina,
E ninguém sabe por quem dobra o sino.
O homem bom dura menos do que a flor,
Por morte ou por doença.

MACDUFF

Que relato
Detalhado e horrível!

MALCOLM

Há dores novas?

ROSSE

A de há uma hora envergonha quem conta:
Nascem a cada instante.

MACDUFF

E minha esposa?

ROSSE

Ora, bem.

MACDUFF

E meus filhos?

ROSSE

Bem, também.

MACDUFF

O tirano não malhou a sua paz?

ROSSE

Eles 'stavam em paz quando parti.

MACDUFF

Stá usuro de fala; o que é que há?

ROSSE

Quando vim transportar essas notícias
Que me pesavam, eu ouvi boatos
Que muita gente boa estava em armas;
E vim a ter testemunho do fato,
Vendo o tirano com a tropa em alerta.
A hora da ajuda é já. O seu olhar

Na Escócia criaria mil soldados;
Contra tal dor a mulher lutaria.

MALCOLM

Que seja o seu conforto a nossa ida.
Do rei inglês temos dez mil e Siward;
Não há guerreiro mais experimentado
Em toda a cristandade.

ROSSE

Quem dera eu ser conforto! A minha fala
Devia ser uivada no deserto,
Para não ser ouvida.

MACDUFF

E a quem toca?
A causa toda, ou a dor extrema
Tem por alvo um só peito?

ROSSE

Ninguém bom
Deixa de partilhá-la, mas no bruto
Só pertence ao senhor.

MACDUFF

E se ela é minha,
Não a oculte de mim, conte-me logo.

ROSSE

Que o seu ouvido não odeie a língua
Que lhe transmite o mais pesado som
Que ele jamais ouviu.

MACDUFF

Já o adivinho.

ROSSE

Em seu castelo sua mulher e filhos
Foram selvagemente assassinados:
Relatar os detalhes juntaria
Às mortes dos cordeiros, sua própria.

MALCOLM

Meu Deus misericordioso!
Vamos, homem! Não cubra assim o rosto!

Expresse a dor, pois a dor que não fala
Sussurra no coração para explodi-lo.

MACDUFF

Também os filhos?

ROSSE

Família, criados,
Todos os que encontraram.

MACDUFF

E eu tão longe!
Minha mulher 'stá morta?

ROSSE

Está.

MALCOLM

Console-se
Façamo-nos remédios de vingança,
Para matar a dor mortal.

MACDUFF

E ele não tem filhos. Os meus lindos?
Disse todos? Demônio infernal! Todos?
O quê? A mãe e os lindos pintainhos?
De um só golpe?

MALCOLM

Enfrente-o como homem.

MACDUFF

Vou fazê-lo;
Mas como homem tenho de senti-lo.
Mas como não lembrar tudo o que era,
Se para mim era tudo precioso?
O céu viu tudo e não os defendeu?
Macduff maldito, o golpe foi por ti;
Mísero, por tuas faltas, não as deles,
Deu-se a chacina: que o céu lhes dê paz!

MALCOLM

Afia nessa pedra a tua espada:
Da dor faz ira, e duro o coração.

MACDUFF

Eu posso nos meus olhos ser mulher,
E homem na palavra. Mas, oh céu!
Corta o intervalo e põe-nos cara a cara
Com esse monstro que domina a Escócia,
Ao alcance da espada; e se escapar,
Que o céu o perdoe.

MALCOLM

Isso é viril!
Vamos ao rei; nossas hostes 'stão prontas;
Só falta a despedida. Esse Macbeth
'Stá pronto pra cair; e o próprio céu
'Stá armado. Aceite essa alegria:
Até a noite longa acaba em dia.

Ato V
Cena I

Dunsinane. Uma sala no castelo.

(*Entram um Médico e uma Dama de Companhia.*)

MÉDICO

Há duas noites que velo com a senhora; porém não encontrei verdade em seu relato. Quando andou ela pela última vez?

DAMA

Desde que Sua Majestade partiu para o campo, eu a vi levantar-se de seu leito, atirar uma capa sobre o corpo, abrir o armário, tirar um papel, dobrá-lo, escrever nele, depois selá-lo, e finalmente voltar para a cama. E tudo isso enquanto estava profundamente adormecida.

MÉDICO

É grande perturbação da natureza a um só tempo gozar do benefício do sono e dos efeitos da vigília! Nessa agitação adormecida, além do andar e outras ações concretas, o que, a qualquer tempo, a ouviu dizer?

DAMA

Coisas, senhor, que não relatarei sobre ela.

MÉDICO

Mas a mim pode; e é obrigação fazê-lo.

DAMA

Nem ao senhor e nem a ninguém; pois não tenho testemunhas que confirmem o que eu disser.
(*Entra Lady Macbeth com uma tocha.*)
Olhe só! Aí vem ela. É bem assim que se apresenta; e, por minha vida, em sono pesado. Observe-a: fique perto.

MÉDICO

Como conseguiu ela essa vela?

DAMA

Ora, estava a seu lado: ela mantém sempre uma luz junto a si; é ordem sua.

MÉDICO

Veja, seus olhos estão abertos.

DAMA

Eu sei, mas a razão está fechada.

MÉDICO

O que faz ela agora? Olhe, parece esfregar as mãos.

DAMA

Isso é uma de suas ações costumeiras, esse parecer que está lavando as mãos. Eu já a vi continuar a fazê-lo por todo um quarto de hora.

LADY MACBETH

Mas ainda há uma mancha aqui.

MÉDICO

Atenção! Está falando. Vou anotar o que vem dela, para satisfazer com maior precisão minha memória.

LADY MACBETH

Sai, mancha maldita! Sai, eu disse! — Uma, duas: mas então é hora de agir. — O inferno é tenebroso. — Que vergonha, meu senhor, que vergonha! Um soldado, com medo? — Por que teremos de temer quem o saiba, quando ninguém puder pedir contas ao nosso poder? — Mas quem haveria de pensar que o velho tivesse tanto sangue?

MÉDICO

Ouviu isso?

LADY MACBETH

O *Thane* de Fife tinha uma esposa: onde está ela, agora? — Mas como, estas mãos não ficarão limpas nunca? — Chega disso, meu senhor, chega disso: estragará tudo com esses seus repentes.

MÉDICO

Vamos, vamos; a senhora esteve ouvindo o que não devia.

DAMA

Ela falou o que não devia, disso estou certa: só os céus sabem o que ela já passou.

LADY MACBETH

Aqui ainda há cheiro de sangue: nem todos os perfumes da Arábia hão de adoçar esta mãozinha. Oh! Oh! Oh!

MÉDICO

Mas que suspiro! O coração está dolorosamente oprimido.

Dama

Eu não queria um coração assim em meu peito, nem pela dignidade do corpo inteiro.

Médico

Bem, bem, bem.

Dama

Deus permita que esteja, senhor.

Médico

Tal doença fica além da minha arte; no entanto, já vi gente que andava dormindo morrer santamente em sua cama.

Lady Macbeth

Lave as mãos, vista a camisa de noite; não se mostre assim tão pálido. —Vou dizer-lhe de novo, Banquo está enterrado; ele não pode sair da tumba.

Médico

Então é isso?

Lady Macbeth

Ao leito! Ao leito! Estão batendo no portão. Venha, venha, venha, venha; dê-me sua mão. O que está feito não pode ser desfeito. Ao leito, ao leito, ao leito. (*Sai.*)

Médico

E agora irá deitar-se?

Dama

Imediatamente.

Médico

Há boatos terríveis; feitos vis
Geram males doentes: mentes más
Contam ao travesseiro seus segredos.
Ela precisa mais pastor que médico.
Deus! Que Deus nos perdoe! Cuide dela;
Afaste-a do perigo de ferir-se.
E fique de olho nela. Boa noite.

Tenho a mente confusa, os olhos tontos;
Não ouso falar, mas penso.

DAMA

Boa noite. (*Saem.*)

Cena II

Campo aberto, perto de Dunsinane.

(*Entram, com trompas e bandeiras, Menteith, Cathness, Angus, Lenox e Soldados.*)

MENTEITH

'Stá perto a tropa que lideram Malcolm,
Seu tio Siward e o bom Macduff.
A vingança queima neles; sua causa
Levaria à sangria da batalha
Até um morto.

LENOX

Junto ao bosque Birnam
Os encontramos; é por lá que chegam.

CATHNESS

Sabem se Donalbain 'stá com o irmão?

LENOX

Estou certo que não. Tenho uma lista
Dos nobres todos: há o filho de Siward,
E muitos jovens crus que nesta hora
Fazem prova viril.

MENTEITH

E o tirano?

CATHNESS

Fortificou o grande Dunsinane;
O dizem louco, e quem o odeia menos
Fala de brava fúria; mas o certo
É que não fecha mais seu destempero
Com o cinto da razão.

ANGUS

Pois sente agora
Presos às mãos os seus crimes secretos;
Mil revoltas condenam sua traição:
Os que comanda só cumprem comandos,
Mas sem amor; seu título parece
Vesti-lo como o manto de um gigante
Em um larápio anão.

MENTEITH

E quem condena
Os sobressaltos de sua mente insana
Se tudo dentro dele se condena
Por 'star ali?

CATHNESS

Pois muito bem; marchemos
Pra prestar nosso preito onde é devido.
Demos remédios à nação doente;
Para purgar a pátria, derramemos
O nosso sangue.

LENOX

Apenas o preciso
Para regar a soberana flor
E afogar a erva má na dor.
Marchemos para Birnam. (*Saem, marchando.*)

Cena III

Dunsinane. Uma sala no castelo.

(*Entram Macbeth, um Médico e alguns Criados.*)

MACBETH

Não quero mais notícias. Pois que fujam!
Até Birnam chegar a Dunsinane

O medo não me atinge. Quem é Malcolm?
Então não foi parido? Quem conhece
Toda a mortal sequência me informou:
"Nada temas, Macbeth; ninguém parido
Por mulher terá força sobre ti.
Podem todos fugir, nobres traidores
Pra juntar-se aos ingleses comilões.
O coração e a mente que sustento
Não duvidam nem temem um momento.
(*Entra um Criado.*)
Que o demo o enegreça, tolo pálido!
Como alcançaste esse teu ar de ganso?

CRIADO

São dez mil.

MACBETH

Gansos?

CRIADO

Soldados, senhor.

MACBETH

Faz o teu rosto rubro de bravura
Com beliscões, covarde! Tropas, tolo?
Alma perdida, tuas faces lívidas
Sussurram medo. Mas que tropas, tonto?

CRIADO

A força inglesa, meu senhor.

MACBETH

Vai embora.
(*Sai o Criado.*)
Seyton! Eu tenho opresso o coração.
Quando penso.. Olá, Seyton! Este embate
Me garante pra sempre ou me destrona.
Eu já vivi bastante. A minha vida
Já murchou, conto a flor esmaecida;
E tudo o que nos serve na velhice —
Honra, respeito, amor, muitos amigos,

Não posso ter, mas, sim, em seu lugar,
Pragas contidas, horas só de boca,
Dadas sem coração, por covardia.
Seyton!
(*Entra Seyton.*)

SEYTON

O que deseja?

MACBETH

Há notícias novas?

SEYTON

'Stão confirmados todos os relatos.

MACBETH

Eu luto até ficar osso sem carne.
Minha armadura!

SEYTON

Ainda não é hora.

MACBETH

Quero vesti-la.
Mandem cavalos percorrer a área!
Enforquem os medrosos! A armadura!
Doutor! E a doente?

MÉDICO

Não tão mal
Quanto agitada por más fantasias
Que a privam de repouso.

MACBETH

Cure-a disso:
Não pode ministrar mentes doentes,
Matar lembranças de tristeza antiga,
Apagar males escritos no cérebro,
E, com um doce antídoto, limpar
Do peito opresso a carga perigosa
Que pesa o coração?

MÉDICO

Nisso o doente
Tem de curar-se a si mesmo.

MACBETH

Aos cães a medicina; não me serve.
(*a Seyton.*) Vem, quero armar-me; dá-me o meu bastão.
Seyton, manda. Doutor, os nobres fogem.
(*a Seyton.*) Anda logo. Se pudesse, doutor,
Achar qual a doença que há nas águas
Da minha terra e, então, purificá-la
Para voltar à saúde, eu haveria
De aplaudi-lo até o eco responder.
Faça isso! Que erva ou purgativo
Expulsa esses ingleses? Não os ouve?

MÉDICO

Sim, Milord. As preparações reais
São bem audíveis.

MACBETH

Venha atrás de mim.
Medo de morte não me há de tocar,
Se a Dunsinane a mata não chegar.

MÉDICO (*à parte.*)

Ah, se eu pudesse daqui me afastar,
Nem ouro me faria aqui voltar. (*Saem.*)

Cena IV

Campo de Dunsinane. À vista, uma floresta.

(*Entram, com tambores e bandeiras, Malcolm, o velho Siward e seu Filho, Macduff, Menteith, Cathness, Angus, Lenox, Rosse e Soldados, marchando.*)

MALCOLM

Primos, espero estar chegando o dia
Da segurança em casa.

MENTEITH

Não há dúvida.

SIWARD

Que mata é essa à nossa frente?

MENTEITH

Birnam.

MALCOLM

Que cada homem corte dela um ramo
E o carregue ante si: encobriremos
Assim o nosso número, pra espias
Errarem sem relato.

SOLDADO

Assim faremos.

SIWARD

Só nos informam sempre que o tirano
'Stá firme em Dunsinane para enfrentar
O nosso cerco.

MALCOLM

Que é sua esperança;
Pois todos que puderam já se foram.
Fortes e fracos já se revoltaram,
Ninguém o serve senão constrangido,
E não com o coração.

MACDUFF

Que os nossos cálculos
Se ajustem à verdade; e atuemos
Com empenho militar.

SIWARD

Já chega a hora
Que a decisão nos vai dizer, sabemos,
O que dizemos ter e o que devemos.
Especular dá esperança incerta,
Só o que é certo arbitra a luta aberta.
Pra isso avance a guerra. (*Saem, marchando.*)

Cena V

Dunsinane. Dentro do castelo.

(*Entram, com tambores e bandeiras, Macbeth, Seyton e Soldados.*)

MACBETH

Içai bandeiras fora das paredes!
"Ataque!" é a senha, e o castelo ri-se.
Desdenhamos o cerco. Eles que fiquem
Até que a fome e a febre os coma inteiros.
Se os que eram nossos não os reforçassem,
Com ousado desafio, cara a cara,
Já 'stariam vencidos. Que foi isso?

(*Um grito de mulher.*)

SEYTON

É um grito de mulheres, bom senhor. (*Sai.*)

MACBETH

Quase esqueci que gosto tem o medo.
Outrora meus sentidos gelariam
Com um guincho à noite; e a minha
[cabeleira
Com um relato de horror ficava em pé,
Como se viva. Estou farto de horrores:
O pavor, íntimo do meu pensar,
Já nem me assusta. (*Volta Seyton.*)
Quem gritou assim?

SEYTON

A rainha está morta, senhor.

MACBETH

Ela devia só morrer mais tarde;
Haveria um momento para isso.
Amanhã, e amanhã, e ainda amanhã
Arrastam nesse passo o dia a dia
Até o fim do tempo pré-notado.
E todo ontem conduziu os tolos

À via em pó da morte. Apaga, vela!
A vida é só uma sombra: um mau ator
Que grita e se debate pelo palco,
Depois é esquecido; é uma história
Que conta o idiota, todo som e fúria
Sem querer dizer nada.

(*Entra um Mensageiro.*)

MENSAGEIRO
Meu bom senhor,
Devo contar o que digo que eu vi,
Porém eu não sei como.

MACBETH
É só falar.

MENSAGEIRO
Quando eu estava de guarda na colina,
Olhei pra Birnam e me pareceu
Que a floresta avançava.

MACBETH
Falso escravo!

MENSAGEIRO
Que eu sinta a vossa ira se for falso.
A três milhas vereis que, como disse,
Um bosque anda.

MACBETH
E se contas mentiras
Tu hás de pender vivo de uma árvore,
para morrer de fome. Se verdade,
Pouco me importa se o tanto a mim fazes —
Adio o julgamento, mas começo
A duvidar daquele ser equívoco
Que mente com a verdade. "Nada temas
Se Birnam não chegar a Dunsinane."
E agora o mato vem! Todos em armas!
Se isso que ele afirma aparecer,
Não há como fugir ou resistir.

Já me canso de sol e ora desejo
Que a forma do universo se rompesse.
Soai o alarme! Vinde, vento forte!
Armado eu lutarei até a morte!

Cena VI

O mesmo. Uma planície diante do castelo.

(*Tambores e bandeiras. Entram Malcolm, o velho Siward, Macduff etc., e seu exército, com os ramos.*)

MALCOLM

Aqui está bom: abaixem os disfarces
E relevem-se; o senhor, nobre tio,
Vai liderar, com meu primo, seu filho,
O ataque inicial. Macduff e nós
Arcaremos com tudo o que mais resta,
Segundo o planejado.

SIWARD

Então, adeus —
Se hoje esse tirano eu encontrar,
Antes perder que não saber lutar.

MACDUFF

Falem as trompas; deem liberdade
Aos arautos

(*Saem. Os alarmas continuam a tocar.*)

Cena VII

O mesmo. Uma outra parte do campo.
(*Entra Macbeth.*)

MACBETH

Estou atado ao tronco; não há fuga.
Tenho de seguir sempre, como o urso.
Mas, dentre eles, qual não foi parido?
Só a ele temo, e a mais ninguém.

(*Entra o jovem Siward.*)

JOVEM SIWARD

Qual o teu nome?

MACBETH

Tu vais temer, se ouvi-lo.

JOVEM SIWARD

Nem que seja mais quente do que os outros
Que estão no inferno.

MACBETH

O meu nome é Macbeth.

JOVEM SIWARD

Nem o diabo falaria de outro
Que me seja mais odioso.

MACBETH

Ou temível.

JOVEM SIWARD

Mentes, tirano vil; com esta espada
Mostro que mentes.
(*Eles lutam, e o Jovem Siward é morto.*)

MACBETH

Tu foste parido:
Rio de espada, da areia que quiser,
Na mão de homem parido por mulher.
(*Sai.*)
(*Alarma. Entra Macduff.*)

MACDUFF

Vem de lá o ruído; tirano, mostra-te:
Se fores morto sem um golpe meu,
Hão de assombrar-me minha esposa e filhos.
Não quero golpear os irlandeses
Que pagas pra lutar; ou tu, Macbeth,
Ou então minha espada, inda perfeita,
Volta à bainha. Deves 'star aqui:
Pelo clamor, alguém muito importante
Se anuncia. Que seja meu, Fortuna!
Mais eu não peço. (*Sai. Alarma.*)

(*Entram Malcolm e o velho Siward.*)

SIWARD

Aqui, Milord. O castelo rendeu-se:
Há homens do tirano dos dois lados;
Os *thanes* na guerra se mostraram bravos.
O próprio dia quase diz que é seu;
Pouco resta a fazer.

MALCOLM

Vi inimigos
Lutar por nós.

SIWARD

Pro castelo, senhor. (*Saem. Alarma.*)

Cena VIII

Uma outra parte do campo.

(*Entra Macbeth.*)

MACBETH

Por que morrer como um romano tolo,
Na própria espada? E onde vejo vivos,

Melhor ferir a eles do que a mim!
(*Volta Macduff.*)

MACDUFF

Vira-te, cão do inferno!

MACBETH

Entre todos os homens te evitei:
Mas foge, pois minh'alma já está farta
Do peso do teu sangue.

MACDUFF

Eu não falo —
A espada é minha voz, vilão mais vil
Do que eu possa expressar. (*Lutam.*)

MACBETH

Perdes teu tempo:
Vai lutar com quem seja vulnerável!
Vivo de encantos, e homem que é parido
Não me derrota.

MACDUFF

Não adianta encanto:
E deixa o Anjo Mau a quem serviste
Dizer-te que Macduff foi arrancado
Fora do tempo ao ventre de sua mãe.

MACBETH

Maldita a língua que me conta isso,
Pois me acuou e me fez menos homem.
Não creia mais ninguém em falsas bruxas,
Que nos enganam com sentidos duplos.
Cada palavra é dada ao nosso ouvido,
Mas traída se agimos com esperança:
Não combato contigo.

MACDUFF

Então, covarde,
Entrega-te pra ser exposto ao tempo:
Pois tu, igual aos monstros que são raros,
Serás pintado ao alto de uma lança,
Escrito embaixo: "Aqui vê-se um tirano."

Macbeth

Não me entrego!
Não beijarei o chão aos pés de Malcolm,
Não ouvirei insultos da ralé.
Mesmo com Birnam vindo a Dunsinane,
E tu, meu inimigo, não parido,
Combato até o fim. Vem cá, Macduff!
Só meu escudo, sempre afeito à guerra,
Agora a mim protege e a ti afasta:
Maldito o que primeiro gritar "Basta!".

(*Saem, lutando. Alarmas. Voltam, lutando, e Macbeth é morto.*)

Cena IX

Dentro do castelo.

(*Toque de retirada. Fanfarra. E entram, com tambores e bandeiras, Malcolm, o velho Siward,* Thanes *e Soldados.*)

Malcolm

Desejo a salvo os que inda 'stão ausentes.

Siward

Alguns têm de partir; mas os que vejo
Dizem ser baixo o preço deste dia.

Malcolm

Estão faltando o seu filho e Macduff.

Rosse

Pagou seu filho o resgate fatal:
Viveu apenas pra chegar a homem.
Mas tão logo afirmou o seu valor,
No inabalável posto onde lutou
Como homem morreu.

Siward

Então, 'stá morto?

ROSSE

Foi tirado do campo. A sua dor
Não deve se medir por seu valor
Que é sem fim.

SIWARD

Foi ferido na frente?

ROSSE

Na frente.

SIWARD

Então, que vá lutar por Deus!
Se meus cabelos fossem filhos,
Não podiam ter morte mais bonita.
Seu dobre já soou.

MALCOLM

E o seu valor
Vale mais dor do que a que nós sentimos.

SIWARD

Não mais. Morreu bem com as contas pagas.
Que Deus o tenha. Mais conforto chega.

(*Volta Macduff, com a cabeça de Macbeth.*)

MACDUFF

Salve, rei, pois o sois. Olhai aqui
A cabeça maldita do tirano:
O tempo agora é livre. E eu vos vejo
Cercado pelas pérolas do reino —
De cuja saudação eu sou a voz:
Mas cujas vozes quero junto à minha
Pra gritar alto "Salve, rei da Escócia"!

TODOS

Salve, rei da Escócia! (*Fanfarra.*)

MALCOLM

Não gastaremos tempo muito largo
Antes de compensarmos seu amor,
Pagando dívidas. *Thanes* e parentes,

Sejam agora condes, os primeiros
Com tal nome na Escócia. Quando ao mais
Que deve ser plantado nesta hora,
Como chamar ao lar quem 'stá no exílio,
Fugindo à teia alerta do tirano;
Mostrar ao mundo os ministros cruéis
Do real carniceiro e a diabólica
Rainha que por suas próprias mãos
Deixou a vida — toda obrigação
Que hoje nos cabe por graça da Graça,
Há de ter seu lugar, medida e hora.
A um e a todos, nossa gratidão,
Convidando-os a Scone, pra coroação.

Sobre o autor

William Shakespeare (26 de abril de 1564 – 23 de abril de 1616) foi um poeta e dramaturgo inglês, tido como o maior escritor do idioma inglês e o mais influente dramaturgo do mundo. É chamado frequentemente de poeta nacional da Inglaterra e de "Bardo do Avon" (ou simplesmente *The Bard*, "O Bardo"). De suas obras restaram até os dias de hoje 38 peças, 154 sonetos, dois longos poemas narrativos, e diversos outros poemas. Suas peças foram traduzidas para os principais idiomas do globo, e são encenadas mais do que as de qualquer outro dramaturgo. Muitos de seus textos e temas, especialmente os do teatro, permaneceram vivos até aos nossos dias, sendo revisitados com frequência pelo teatro, televisão, cinema e literatura. Entre suas obras mais conhecidas estão *Romeu e Julieta*, que se tornou a história de amor por excelência, e *Hamlet*, que possui uma das frases mais conhecidas da língua inglesa: *To be or not to be: that's the question* (Ser ou não ser, eis a questão).